40° O
0°
60° N
ÉCOSSE
PAYS-BAS
ALLEMAGNE
Belfast
Liverpool
IRLANDE
Amsterdam
ANGLETERRE
Londres
Cork
Bristol
E U R O P E
Cap Clear
Le Havre
Plymouth
Old Head of Kinsale
FRANCE
ESPAGNE
40° N
PORTUGAL
MER MÉDITERRANÉE
O C É A N A T L A N T I Q U E
ÎLES CANARIES
A F R I Q U E
N
W
E
S
20° N
ÎLES DU CAP-VERT
40° O
20° O

La Grande Aventure de la Mer

LES PREMIERS TRANSATLANTIQUES

PEUPLES EN PÉRIL
LA CONQUÊTE DU CIEL
LA DEUXIÈME GUERRE MONDIALE
LA GRANDE AVENTURE DE LA MER
CUISINER MIEUX
L'ENCYCLOPÉDIE TIME-LIFE DU JARDINAGE
LE FAR WEST
LE COMPORTEMENT HUMAIN
LES GRANDES CITÉS
MAGIE DES TRAVAUX D'AIGUILLE
LES GRANDES ÉTENDUES SAUVAGES
LES ORIGINES DE L'HOMME
LIFE LA PHOTOGRAPHIE
TIME-LIFE LA CUISINE À TRAVERS LE MONDE
COLLECTION JEUNESSE
TIME-LIFE LE MONDE DES ARTS
LES GRANDES ÉPOQUES DE L'HOMME
LIFE LE MONDE DES SCIENCES
LIFE LE MONDE DES SCIENCES
LIFE LE MONDE VIVANT
LIFE AUTOUR DU MONDE
LE GRAND LIVRE DU BATEAU
LE GRAND LIVRE DE LA PHOTOGRAPHIE
LA GUERRE VUE PAR LIFE
LIFE À HOLLYWOOD
VU PAR LIFE

Couverture : Remorqué par un vapeur, un paquet quitte un quai de Belfast pour une traversée à destination de l'Amérique, alors qu'un navire entre au port. Durant la seconde moitié du XIXe siècle, des navires de ce type transportèrent, en quelques années, plus de 300 000 émigrants à travers l'Atlantique. Ils revenaient chargés de blé, tabac et bois.

Page de titre : Ce pavillon était l'emblème de la Black Ball Line. Cette ligne inaugura en 1817 un service régulier de la traversée atlantique toute l'année. Une cinquantaine de compagnies suivirent son exemple.

La Grande Aventure de la Mer

LES PREMIERS TRANSATLANTIQUES

par Melvin Maddocks
ET LES RÉDACTEURS DES ÉDITIONS TIME-LIFE

ÉDITIONS TIME-LIFE

La Grande Aventure de la Mer
Comité de rédaction pour *les Premiers Transatlantiques:*
Directeur de publication: Anne Horan
Conception artistique: Herbert H. Quarmby
Responsable de la documentation: John Conrad Weiser
Rédacteurs: Bobbie Conlan, Lydia Preston
Secrétaires de rédaction: Carol Dana, Stuart Gannes, Lee Greene, Fran Moshos
Documentalistes: Patti H. Cass. Philip Brandt George, Barbara Brownell, Therese A. Daubner, Roxie France, Adrienne George, Sheila M. Green, Susan Kelly, Ann Dusel Kuhns, Anne Muñoz-Furlong
Maquettiste assistante: Michelle René Clay, Robert K. Herndon
Assistante de rédaction: Ellen Keir

Contributions spéciales: Frederick King Poole, Harold C. Field, Edward P.H. Kern, David S. Thomson (texte); Martha Reichard George, Barbara Hicks (recherches)

Correspondants: Elisabeth Kraemer (Bonn); Margot Hapgood, Dorothy Bacon, Lesley Coleman (Londres); Susan Jonas, Lucy T. Voulgaris (New York); Maria Vincenza Aloisi, Josephine du Brusle (Paris); Ann Natanson (Rome).
Une contribution particulière a été apportée par Nakanori Tashiro, rédacteur pour l'Asie, Tokyo. Les rédacteurs remercient également: Helga Kohl (Bonn); Enid Farmer (Boston); Kathy Nolan (Chicago); Katrina Van Duyn (Copenhague); Judy Aspinall, Karin B. Pearce, Millicent Trowbridge (Londres); Carolyn T. Chubet, Miriam Hsia, Christina Lieberman (New York); Marie-Thérèse Hirschkoff (Paris); Mimi Murphy (Rome); Janet Zich (San Francisco); Dick Berry, Akio Fujii, Katsuko Yamazaki (Tokyo); Traudi Lessing (Vienne).

ÉDITION FRANÇAISE:
Direction: Monique Poublan, Michèle Le Baube
Secrétariat de rédaction: Anna Skowronsky
Traduit de l'anglais par Philippe Masson

ISBN 2-7344-0001-4
ISSN en cours

L'auteur:
Melvin Maddocks conserve des liens personnels avec la navigation atlantique. Son père tenait un magasin de fournitures pour bateaux à Boston pendant la période où les navires passèrent de la voile à la vapeur. Chroniqueur et critique du *Christian Science Monitor*, Maddocks a également collaboré au *Time* et à d'autres revues. Il est l'auteur du *Règne du paquebot* dans la collection «La Grande Aventure de la Mer».

Les conseillers:
John Horace Parry, professeur d'histoire et d'océanographie à l'université d'Harvard, a obtenu son doctorat de philosophie à Cambridge. Il est l'auteur de nombreux ouvrages sur la mer, en particulier *The Discovery of the Sea* et *Trade and Dominion.*

John Haskell Kemble, professeur à Pomona College y a enseigné l'histoire maritime pendant 41 ans. Il a été secrétaire du comité consultatif de la marine, en ce qui concerne l'histoire navale.

Cedric Ridgely-Nevitt est professeur d'architecture navale au Webb Institute of Naval Architecture à Glen Cove dans l'État de New York. Il est également l'auteur d'*American Steamships on the Atlantic.*

Michael K. Stammers est professeur d'histoire maritime à Merseyside County Museums en Angleterre et conseiller des problèmes maritimes à la B.B.C.

Norman J. Brouwer est historien maritime au musée de South Street Seaport à New York. Il a fait ses études à l'Académie maritime du Maine et à l'université de New York.

William Avery Baker, conservateur du Hart Nautical Museum du Massachusets Institute of Technology, est ingénieur et architecte naval. Il dessina les plans de *Mayflower II* qui effectua en 1957 la traversée du premier *Mayflower* à partir de Plymouth, en Angleterre, jusqu'à Plymouth dans le Massachusetts.

Philippe Masson, agrégé de l'Université, docteur ès lettres, est professeur à l'École de guerre navale et chef des recherches au Service historique de la Marine. Il est l'auteur de nombreuses études sur l'histoire maritime et contemporaine.

Table des matières

Chapitre 1

Les pionniers de l'Atlantique nord

Aux premières heures de l'aube du 22 juillet 1620, un groupe de trente-cinq protestants anglais se trouvait réuni sur les quais du petit port hollandais de Delftshaven. Depuis onze ans, ils vivaient en exil aux Pays-Bas, complètement séparés de l'Église anglicane. Après deux jours de retraite, ils s'embarquaient à bord d'un trois-mâts de 60 tonnes, le *Speedwell*, qui devait les conduire à Portsmouth. En Angleterre, quatre-vingts de leurs coreligionnaires les attendaient, prêts à s'embarquer, eux aussi, sur un navire plus important le trois-mâts *Mayflower*. Les deux bâtiments devaient effectuer la traversée de l'Atlantique.

Sur le pont du *Speedwell*, les voyageurs furent rejoints par leur pasteur, le révérend John Robinson, ainsi que par d'autres Indépendants venus leur dire adieu. Soudain, « des soupirs et des sanglots se firent entendre », devait écrire William Bradford, un des chefs de l'expédition. Tous tombèrent à genoux, « priant avec ferveur. Ils ne se quittèrent qu'après s'être longuement embrassés et avoir versé des larmes abondantes ». Au moment où le *Speedwell* commença à s'éloigner du quai, les passagers levèrent leurs mousquets et tirèrent une salve d'adieu en l'honneur de ceux qui restaient. Quand la brise commença à gonfler les voiles, ils restèrent silencieux et leurs pensées se tournèrent vers Dieu. « Ils savaient qu'ils étaient des pèlerins », devait dire Bradford. Depuis, ce nom leur est resté.

En dépit des espoirs qu'ils pouvaient nourrir, les voyageurs avaient de bonnes raisons pour se livrer à ces ardentes manifestations de chagrin et de prière. Au début du XVIIe siècle, l'Atlantique Nord constituait toujours un domaine mystérieux et inquiétant, redouté pour ses tempêtes brutales; bien des marins croyaient encore que l'océan était hanté par des monstres capables d'entraîner un navire dans les profondeurs. De fait, des bâtiments disparaissaient parfois avec une telle soudaineté, qu'on pouvait les supposer avoir été happés. En 1583, le navigateur anglais Sir Humphrey Gilbert avait assumé le commandement d'une expédition de 260 hommes et pris possession de Terre-Neuve, au nom de la reine Élisabeth. Il s'agissait du premier territoire britannique d'outre-mer, et Gilbert voulait le coloniser avec le concours de la métropole. Mais, dès qu'il eut embarqué à bord de sa pinasse, le *Squirrel*, et repris la route de l'Angleterre, le malheur le frappa. Au cours d'une nuit de tempête, en plein milieu de l'Océan, un matelot sur un des bâtiments constata que les lumières du *Squirrel* n'étaient plus visibles. Le navire avait disparu. On ne devait plus jamais le revoir.

D'autres expéditions se trouvèrent littéralement poursuivies par

En 1620, sur le pont du 60 tonnes Speedwell, *des émigrants implorent la miséricorde divine, à la veille de quitter la Hollande et de rejoindre le* Mayflower *à Southampton. Le* Speedwell *devait accompagner le* Mayflower *dans la conduite des Pères pèlerins en Amérique du Nord. Son état déplorable ne lui permit pas d'effectuer le voyage.*

l'adversité. Deux ans seulement après le départ des Pères pèlerins, un navire en route pour la Virginie avait été à ce point détourné de sa route par une tempête qu'il lui fallut près de six mois pour arriver enfin à destination. Au cours de cette terrible odyssée, 150 sur les 200 futurs colons moururent de faim. Quant aux survivants, ils se retrouvèrent perdus dans une immense région couverte de forêts, dont les habitants ne manifestèrent que fort peu d'aménité à leur égard.

Pour les intrépides marins, qui avaient pris le risque d'affronter la traversée de l'Atlantique à la fin du XVe siècle, la colonisation n'entrait pas du tout en ligne de compte. Ce qu'ils cherchaient, c'est une route directe et courte pour atteindre les fabuleuses épices de l'Extrême-Orient. En dépit de leur méconnaissance des conditions géographiques, le Nouveau Monde se révéla finalement riche de promesses. Christophe Colomb, qui effectua quatre voyages de 1492 à 1504, n'hésita pas à établir un petit poste de commerce à Hispaniola (aujourd'hui Haïti et la République dominicaine). A partir de cette modeste base, l'Espagne édifia un immense empire en Amérique centrale et en Amérique du Sud, destiné à fournir de prodigieuses quantités d'or et surtout d'argent, au cours du siècle suivant. En 1497, John Cabot, qui naviguait pour le compte de l'Angleterre, débarqua nettement plus au nord, probablement à Terre-Neuve. Il ne trouva pas de métaux précieux, mais il constata l'existence de vastes bancs de morues, une aubaine pour approvisionner une Europe qui respectait le carême. Rapidement, Français, Anglais, Portugais se mirent à fréquenter les bancs de Terre-Neuve, dont ils revenaient chargés de poisson.

A partir de cette date, des lieux de pêche, des postes de commerce, des établissements plus ou moins durables ne cessèrent de s'implanter du Québec à la Floride. A l'attrait exercé par l'or ou la morue s'ajoutèrent les fourrures, qui faisaient l'objet d'une demande importante, ainsi que le bois et le tabac. Celui-ci d'ailleurs ne tarda pas à être considéré en Europe comme la plus intéressante des denrées coloniales.

Les hommes et les femmes qui embarquèrent à bord du *Speedwell*, en 1620, n'ignoraient pas l'intérêt économique du Nouveau Monde. Certes, à l'origine, ils avaient quitté l'Angleterre à la suite de querelles religieuses. En effet, contrairement aux adeptes de l'Église anglicane, ils estimaient que chaque communauté devait pouvoir désigner son pasteur, fixer la discipline de ses membres et contrôler l'activité de ses desservants. En Amérique, aussi bien qu'aux Pays-Bas, ils pourraient mener l'existence de leur choix. Tous n'étaient cependant pas des dissidents. Certains étaient inspirés par des considérations matérielles, tels le capitaine Miles Standish, le blond tonnelier John Alden et la jeune Priscilla Mullins, les futurs personnages que le poète de la Nouvelle-Angleterre, Henry Wadsworth Longfellow, immortaliserait deux cents ans plus tard dans *Miles Standish*. Il n'en reste pas moins que le voyage, tout en étant organisé par les Indépendants, bénéficiait de l'accord de la Couronne, prête à leur donner des terres à condition qu'ils vivent en paix. L'expédition était également financée par des négociants anglais qui espéraient recevoir en retour de fructueuses cargaisons de poissons, de fourrures et de bois.

De vulgaires considérations matérielles se trouvaient donc à la base de l'entreprise. Toutefois, les futurs colons ne caressaient guère le rêve de faire fortune. La plupart des Pères pèlerins étaient de simples cultivateurs, habitués à travailler dur. Ils savaient qu'il serait difficile de

Cette gravure évoque l'arrivée d'une expédition anglaise en 1584. Deux navires mouillent au large de la côte basse de la Caroline, et une pinasse se dirige vers l'île de Roanoke. D'après un colon, « la côte était marécageuse et parsemée de bancs redoutables », comme le souligne naïvement cette reproduction.

fonder une colonie, mais ils étaient tous fermement décidés à réussir.

Leur voyage constituait le prélude à un trafic maritime qui ne cesserait de se développer. Au cours des deux cent cinquante années qui allaient suivre, près de onze millions de personnes traverseraient l'Atlantique, sur les traces des Pères pèlerins. Les bateaux apporteraient également des produits que les colons se trouvaient incapables de fabriquer eux-mêmes, draps pour se vêtir, matériel de cuisine indispensable, haches nécessaires au défrichement. En échange, les mêmes navires rapporteraient tout l'éventail des productions du Nouveau Monde, non seulement le bois, le poisson ou les fourrures, exploités dès le départ, mais le tabac devenu de consommation courante, en attendant les céréales et le coton. Grâce à ces échanges d'objets fabriqués contre des matières premières ou des produits alimentaires, un trafic intense allait se développer sur 5 000 kilomètres entre l'Ancien et le Nouveau Monde. L'Atlantique deviendrait le théâtre maritime le plus disputé des sept mers.

Dans l'effort de colonisation de l'Amérique du Nord, un tournant capital était intervenu une quinzaine d'années avant le départ des

Le Godspeed *de 40 tonnes, la* Susan Constant *de 100 tonnes et la* Discovery *de 20 tonnes s'apprêtent à mouiller près de la côte de Virginie en 1607, avant de débarquer les fondateurs de Jamestown, le premier établissement anglais en Amérique. Au* XVIIe *siècle, les navires traversaient l'Atlantique en convoi pour se prêter assistance en cas de difficulté.*

Pères pèlerins. En avril 1607, trois navires anglais, la *Susan Constant* de 100 tonnes, le *Godspeed* de 40 tonnes et la *Discovery* de 20 tonnes, avaient mouillé dans la rivière James, en Virginie, et débarqué cent cinq personnes, qui avaient baptisé l'emplacement Jamestown. De nombreuses calamités s'étaient déjà abattues sur eux. Trente-neuf passagers avaient succombé pendant la traversée, probablement du scorbut et de la dysenterie. Bien des rescapés ne paraissaient guère aptes à survivre. Beaucoup étaient des gentilshommes partis pour découvrir de l'or et nullement pour se livrer à l'agriculture.

La chance allait cependant sourire à ces argonautes égarés. L'expédition comptait un homme remarquable. John Smith serait non seulement le sauveur de Jamestown, mais il était également destiné à jouer, plus que toute autre personne, un rôle essentiel dans la plus grande migration océanique de l'histoire.

En dépit de son âge, vingt-sept ans, Smith bénéficiait déjà d'une énorme expérience. Simple soldat, il avait sillonné toute l'Europe et s'était même hasardé dans les steppes russes. Au cours d'un de ses voyages, il avait traversé Mayence, où Gutenberg avait fondé la première imprimerie deux cents ans plus tôt. Smith allait faire preuve d'une exceptionnelle fécondité en tant que publiciste.

En Virginie, Smith déploya un remarquable talent d'organisateur. Il réconfortait les colons quand ils se trouvaient découragés ou malades.

Il mettait fin aux querelles intestines. Il arrivait même à convaincre ceux qu'il appelait les «gloutons égarés et maladroits» d'abandonner leur recherche stérile d'un or inexistant et de se mettre à travailler de leurs mains, seul moyen de préserver leur vie. Il veilla au creusement du premier puits, à la construction d'un atelier de savon, à la fabrication de filets pour la pêche. Il dirigea les colons qui plantaient les pommes de terre ou semaient les graines de melon venues de Grande-Bretagne. Qui plus est, il fit entreposer du bois pour l'exporter en Angleterre. Par cet envoi, il permit aux promoteurs britanniques de l'expédition de rentrer dans leurs frais, tout en offrant aux colons de Jamestown la possibilité d'importer de la métropole les produits dont ils pouvaient avoir besoin.

A la fin de l'année 1609, alors qu'il naviguait sur la rivière James, John Smith fut victime d'un accident pour le moins insolite. Sans qu'on en puisse déterminer les conditions exactes, un brandon tombé de la mèche d'un mousquet ou d'une pipe mit le feu à une poire à poudre qu'il portait à la ceinture. Smith sauta par-dessus bord pour éteindre le feu. Quand ses compagnons le remontèrent sur le navire, il souffrait de sérieuses brûlures. Dès lors, devenu incapable de les suivre dans leurs recherches de vivres pour l'hiver, il repartit pour l'Angleterre. Il avait cependant donné à Jamestown la volonté de survivre. Ce fut le premier établissement durable au début de la colonisation établie au nord de la Floride occupée par l'Espagne.

Smith revint dans le Nouveau Monde en 1614, mais dans le cadre d'une entreprise totalement différente. Deux négociants de Londres l'avaient incité à repartir avec deux navires pour chasser la baleine. En arrivant au large de l'île de Monhegan, située aujourd'hui dans l'État du Maine, il ne trouva pas de baleines, mais effectua une pêche abondante de morues. Le voyage devait apporter d'autres avantages. Avant de regagner l'Angleterre, Smith effectua une reconnaissance en règle de toute la côte jusqu'au cap Cod. Il en dressa la carte, notant soigneusement toutes les anses et le moindre îlot, auxquels il donna des noms devenus familiers comme Plymouth, Dartmouth et Cambridge. Revenu en Grande-Bretagne en 1616, Smith publia toutes ses observations dans un ouvrage intitulé *A Description of New England*. Il donnait ainsi un nom nouveau à un immense territoire que l'on appelait jusque-là Virginie du Nord. Par la suite, il n'allait cesser de plaider en faveur de la colonisation de l'Amérique.

Beaucoup plus que ses devanciers, Smith avait une vision très nette des énormes possibilités du Nouveau Monde. «En Amérique, rien ne manque, sauf des gens habiles de leurs mains», écrivait-il. Partant à destination d'un continent pratiquement inhabité, un travailleur motivé pouvait atteindre un niveau de vie bien supérieur à celui auquel il pouvait prétendre dans la vieille Europe. Des personnes efficaces émigrant vers l'ouest pouvaient fournir les produits dont l'est avait justement besoin, créant ainsi un cercle sans fin d'émigration et de commerce. «Si un homme fait preuve de courage et d'esprit de sacrifice, ajoutait-il, que peut-il souhaiter de mieux que de créer un établissement pour ses héritiers?» D'après ses descriptions, il y avait là un continent au sol fertile, à l'eau pure. «De toutes les parties du monde que j'ai trouvées inhabitées et qui apparaissaient susceptibles d'une colonisation, c'est bien là que je voudrais vivre et pas ailleurs.»

Smith souhaitait revenir en Amérique. Il aurait surtout voulu embar-

L'apprentissage de l'aventure

Quand le capitaine John Smith partit pour la Virginie au XVIIe siècle, à 26 ans, il connaissait déjà les dangers et les possibilités des terres lointaines. Fils d'un tenancier, il avait quitté l'Angleterre à 16 ans pour parcourir le monde et tenter sa chance comme soldat. A en croire son autobiographie, cette ambition ne tarda pas à se réaliser.

Smith commença par rejoindre les révoltés des Pays-Bas en lutte contre l'Espagne. Après avoir complété son apprentissage par la lecture de *l'Art de la guerre* de Machiavel et appris la technique des tournois, il décida de « tenter sa chance contre les Turcs », à la faveur du conflit qui opposait le Saint Empire romain germanique aux Ottomans, tant en Hongrie qu'en Transylvanie. Il fit le voyage à bord d'un bateau rempli de pèlerins catholiques français. Ceux-ci le prirent pour un pirate musulman et le jetèrent par-dessus bord. A la nage, Smith gagna une île et s'embarqua sur un autre navire.

En Hongrie, il se distingua au cours d'une bataille. Avant le combat, Smith avait appris d'un des officiers comment utiliser pendant la nuit des torches pour transmettre des messages. Il avertit l'officier de cette manière et coordonna une contre-attaque. Les Turcs furent mis en fuite et Smith promu au grade de capitaine.

Son bataillon se dirigea ensuite vers une ville occupée par les Turcs, appelée Regall, et entreprit un siège interminable. A la faveur d'une trêve, les Turcs défièrent les chrétiens en combat singulier à cheval. Smith, naturellement, releva le gant. Il tua un premier adversaire d'un coup de lance entré par la visière du casque. Un second résista à la lance de Smith mais fut blessé d'une balle de pistolet. Quant au troisième, il échappa au coup de feu. Mais il porta à Smith un coup si violent, qu'il en perdit sa hache d'armes. Au moment où le Turc s'apprêtait à frapper à nouveau, Smith, « dépassant l'attente générale », réussit à atteindre son adversaire dans le dos.

Mais, en dépit de toute sa valeur, Smith ne put tenir tête à une horde de cavaliers, près de 40 000 d'après son estimation. Ces cavaliers surprirent son bataillon au passage d'un col de montagne dans le sud de la Transylvanie. Il fut fait prisonnier et vendu comme esclave. Mais il réussit à s'échapper en tuant son propre maître d'un coup de fléau.

Le jeune aventurier revint en Angleterre en 1604. Une lettre du prince de Transylvanie lui faisait don d'une armure pour le récompenser de son courage. Peu après, l'homme se retrouvait au Nouveau Monde, prêt à risquer sa vie pour acquérir une gloire durable.

Les exploits du capitaine Smith sont résumés dans cette série de gravures tirée de sa propre biographie. Ces illustrations respectent la chronologie des événements, à l'exception des deux premières de la série du bas, qui sont interverties.

art of the Trauels of Capt IOHN SMITH amongst TVRKES,
ARTARS and others extracted out of the HISTORY by IOHN PAYN
ow hee releeued OLVMPAGH by a stratagem of Lights Chap 4

The Siege of REGALL in Transiluania Chap 7

His Combat with GRVALGO Capt of threehundred horsmen. Chap 7.

How he slew BONNY MVLGRO Chap 7

Three TVRKS heads in a banner giuen him for Armes . Chap 8
pro Christo et patria
Sigismundus
P. Moyses
MRten Dr sculptor
How he was presented to Prince SIGISMVNDVS . Chap 8

Capt SMITH Killeth the BASHAW of Nalbrits and on his horse escapeth Chap 17
London Printed by Iames Reeue

quer à bord du *Mayflower* comme guide et conseiller des passagers et de l'équipage. Mais les Pères pèlerins l'éconduisirent. Ils préféraient, ce que Smith déplora, « faire des économies », du fait que ses livres et ses cartes coûteraient beaucoup moins cher à les instruire que lui-même. Cette assertion était pleinement justifiée. Ses ouvrages et ses cartes se trouvaient, en effet, à bord du *Mayflower*. Smith se consola par des réflexions amères. Selon lui, les Pères pèlerins étaient suffisamment tourmentés, « dans leur vieille baille faisant eau de toute part ».

Les pèlerins avaient décidé d'effectuer la traversée à la faveur de l'été dès que le *Speedwell* et le *Mayflower* se seraient rejoints à Plymouth. Mais ce plan ne tarda pas à être compromis par toute une série d'imprévus. Un premier retard se manifesta à la suite d'une contestation, lors de la rédaction définitive du contrat avec les négociants. L'accord était prévu pour sept ans. A l'issue de cette période, les profits seraient partagés entre les promoteurs et les colons. Ceux-ci voulurent ajouter deux clauses au contrat. Ils tenaient d'abord à se réserver le droit de travailler deux jours par semaine pour eux-mêmes et non pour la société. Ils tenaient ensuite à ce que leur maison, leur jardin et leur lopin soient exclus des bénéfices du partage, au bout de sept ans, alors que les négociants estimaient que ces biens relevaient d'une propriété collective. Mais les colons considéraient qu'ils travailleraient avec beaucoup plus d'efficacité, « prenant même des heures sur leur sommeil », s'ils bénéficiaient de l'assurance de devenir propriétaires de leur maison. L'impasse étant complète, les pèlerins refusèrent de signer et, le 5 août 1621, ils appareillèrent sans le moindre contrat. Le problème ne devait jamais recevoir de solution.

Peu après le départ, le *Speedwell* connut des avaries ; et les deux navires durent quitter la Manche pour rallier Dartmouth. Deux semaines plus tard, ils effectuèrent une seconde tentative. Mais, le *Speedwell* se trouva encore en difficulté et l'expédition dut à nouveau faire demi-tour et rallier Plymouth pour réparations. Les pèlerins en arrivèrent alors à la conclusion que le *Speedwell* était hors d'usage et qu'il fallait l'abandonner. Ses approvisionnements furent transférés à bord du *Mayflower*. Quatorze passagers et vingt matelots, lassés, en profitèrent pour déclarer forfait et rentrer chez eux.

Le 16 septembre, à la veille de la saison des tempêtes, les derniers pèlerins effectuèrent une ultime tentative. Le *Mayflower* convoyait 101 passagers, dont 31 enfants, 2 chiens, et un équipage de 34 hommes. Le commandant n'était autre que Christopher Jones, un marin averti, propriétaire du quart du bâtiment. Pendant des années, il avait effectué le commerce des vins en Méditerranée. Récemment, il avait transporté des vêtements et du cuir à Bordeaux et à La Rochelle.

Le *Mayflower* se présentait sous la forme d'un bâtiment de taille rassurante, mesurant une trentaine de mètres de long et 8 de large. Il appartenait à la catégorie des « navires » dont le tonnage oscille de 40 à 400 tonnes. Avec 180 tonnes, il affichait un tonnage supérieur à l'ensemble des trois bâtiments, à l'origine de la colonisation de Jamestown.

Avec ses trois mâts carrés, il constituait le dernier cri en matière de construction navale. Son grand mât représentait une sorte de record, avec plus de 25 mètres de haut ; le mât de misaine mesurait plus de 20 mètres et celui d'artimon une douzaine. De plus ils atteignaient 60 centimètres de diamètre à la base et 20 au sommet.

Ornée du portrait de son auteur, John Smith, cette carte très précise du littoral de la Nouvelle-Angleterre devait être utilisée par le Mayflower et bien d'autres navires du XVIIe siècle. En 1614, Smith avait donné à des sites riches d'avenir des noms de villes anglaises, comme Boston ou Plymouth. Ces mêmes appellations seraient reprises par les colons pour d'autres lieux.

Le navire transportait trois jeux différents de voiles, compte tenu de la force des vents. Elles étaient faites de toile robuste, cousue à la main, offrant une solidité digne d'une cotte de mailles. Sur la bordure des voiles se trouvaient des trous garnis de cuir pour éviter les déchirures des cordages qui commandaient le fonctionnement du gréement. Il y avait plus de 400 mètres de cordages, d'un poids total de 8 tonnes. Le *Mayflower* disposait également d'une chaloupe de 10 mètres utilisable pour les reconnaissances. Elle devait une fois transporter 32 hommes et, lors d'une seconde occasion, 18 autres avec des vivres pour subsister pendant plusieurs jours.

Au total, le *Mayflower* faisait figure de navire solide, mais cependant fort peu confortable. Avec son gréement compliqué, ses lourdes superstructures comportant un château à l'avant et un autre à l'arrière, le bâtiment affichait un fardage excessif et dansait comme un

Une foule de curieux observe, le 14 août 1620, les bateaux des Pères pèlerins, le Mayflower *(au centre) et le* Speedwell *(à gauche), au cours d'une escale imprévue dans le port de Dartmouth, sur la Manche. Le petit* Speedwell *que les pèlerins pensaient utiliser comme bateau de pêche après la traversée de l'Atlantique, était si délabré que malgré les réparations il fallut l'abandonner à Plymouth, et le* Mayflower *encombré de passagers poursuivit seul la route.*

bouchon en pleine mer. Le capitaine Jones était de loin le mieux loti. Il possédait un appartement à l'arrière, qu'il partageait avec ses deux officiers. Les matelots bénéficiaient de postes dans le château avant. Par beau temps, les passagers avaient accès au pont principal, qui mesurait 25 mètres sur 7. Mais, à la nuit ou par gros temps, ils s'entassaient dans la batterie inférieure, humide et sombre, qui ne mesurait que 8 mètres sur 5, avec des barrots ne permettant pas à un homme de se tenir debout. De plus, cet espace réduit était encore envahi par tous les biens des passagers, ballots de vêtements, ustensiles de cuisine, fusils, outils, sans compter 20 000 livres de biscuits de mer et 30 boisseaux de farine d'avoine destinés à permettre aux Pères pèlerins de subsister pendant la traversée et de franchir le cap de l'hiver. Les approvisionnements essentiels comprenaient aussi de l'orge, du blé et des pois en vue des futures semailles.

Dans cette batterie sombre, il n'y avait pratiquement aucune aération et les latrines se réduisaient à de vulgaires baquets. A priori, l'odeur n'était peut-être pas aussi nauséabonde qu'à bord d'autres navires; il subsistait des émanations de vin et le *Mayflower* passait pour un «bateau parfumé». Mais le cuir et les fourrures dégageaient de violentes odeurs. Il en était de même de l'eau qui s'accumulait au fond de la coque, dans le «marais nautique», depuis quatorze ans que le bâtiment avait pris la mer. A ces relents s'ajoutaient ceux des vomissements des passagers, des excréments, des corps crasseux, des vivres corrompus. Il en résultait en fin de compte une affreuse puanteur.

Par mer belle, les passagers pouvaient faire cuire à tour de rôle leur repas sur de petits braseros installés sur le pont, dans des caisses remplies de sable pour recevoir les braises. En revanche, toute cuisine était interdite quand la mer était agitée. Les passagers devaient alors se contenter de biscuit, de viande salée, de poisson séché, de fromage, de féculents, arrosés de bière. Même si le journal de Bradford n'en souffle mot, on peut penser que la plupart des passagers, au bout de quelques semaines, étaient trop malades pour s'alimenter. Ils souffraient des fièvres et de la dysenterie qui sévissaient presque toujours à bord des voiliers où régnait la promiscuité.

Pour ceux qui pouvaient monter sur le pont, la distraction principale consistait à observer les travaux de routine de l'équipage. Une des plus délicates consistait à colmater les fuites qui se produisaient le long des coutures de la coque. Il était également nécessaire de maintenir l'équilibre du gréement; les cordages avaient tendance à se rompre quand ils étaient mouillés et à prendre du mou dès qu'ils séchaient. Il fallait encore pomper l'eau de la cale et procéder à la toilette du pont.

L'intérêt que pouvait provoquer ce microcosme marin était gâché par le sentiment constant et oppressant du danger. Les pèlerins avaient emprunté la périlleuse route du nord, utilisée par les pêcheurs des bancs de Terre-Neuve. Dans ce secteur, où l'absence d'îles rendait impossible la recherche d'un abri, les vents dominants d'ouest assaillaient l'étrave des navires venant d'Europe et donnaient constamment naissance à de violentes tempêtes. Les Européens avaient déjà effectué le tour du monde. Mais nulle part ils n'avaient rencontré des conditions aussi difficiles. Le *Mayflower* devait d'abord marcher vers le nord en direction du Groenland, pour éviter le Gulf Stream, avant de s'orienter vers le sud, trouver des vents favorables et utiliser le courant du Labrador vers Terre-Neuve, pour atteindre la Nouvelle-Angleterre.

Cette dérive d'ouest est due à un ensemble de vents et de courants qui effectuent en permanence le tour de la mer des Sargasses. Pour atteindre l'Amérique, il est bien une autre route plus calme, empruntée par Christophe Colomb et les colons de Jamestown. Elle utilise les vents qui soufflent de l'est vers l'ouest. Suivant une trajectoire plus méridionale, cet itinéraire traverse le golfe de Gascogne, permet de se ravitailler aux Canaries ou aux Açores, avant de s'orienter vers l'Amérique à hauteur des Antilles. Avec ces archipels, les étapes en pleine mer sont relativement courtes, mais la traversée exige près de trois mois, parfois cinq, au lieu de huit à dix semaines en moyenne pour la route du nord. Les Pères pèlerins avaient finalement estimé que l'itinéraire le plus court serait également le plus sûr.

Sachant qu'ils rencontreraient certainement du mauvais temps au cours de la traversée, un des pèlerins avait confié à un ami qu'ils ne tarderaient pas à constituer « de la pâture pour poisson ». Cette prédiction faillit devenir une triste réalité pour John Howland, âgé de 27 ans, le secrétaire du président de la compagnie, John Carver. Voulant s'évader de l'atmosphère pestilentielle de la cale un jour de tempête, John Howland monta sur le pont et ne tarda pas à être enlevé par une lame. Il réussit cependant à agripper un cordage et put être remonté sur le pont à l'aide d'une gaffe. Il devait vivre jusqu'à 80 ans et, d'après Bradford, devenir un membre influent de l'Église et de la communauté. Cette mésaventure servit de leçon aux autres en montrant avec quelle rapidité la mer pouvait se saisir d'une victime.

Les Pères pèlerins finirent par apprendre des marins les signes annonciateurs d'une tempête, tels des nuages bas, un halo autour de la lune, l'apparition d'une colonie de dauphins ou d'une odeur pénétrante étrange, associée à une faible brise. A l'approche d'un grain, l'air devient plus lourd, des éclairs apparaissent dans le lointain. Avec une activité fébrile, l'équipage amène les voiles, en commençant par les huniers du grand mât et du mât d'artimon. Les vents se déchaînent alors, sifflant à travers le gréement; le bâtiment se couche avec une telle violence que les timoniers ont toutes les peines du monde à se cramponner à la barre du gouvernail. Pendant des jours le bâtiment se trouve ainsi ballotté. Pourtant, d'après les témoignages de Bradford, toutes les voiles ont été amenées et le bateau se trouve à sec de toile. Sous la violence des lames, la coque en arrive au bord de la rupture.

Au milieu d'une tempête particulièrement violente, les pèlerins notèrent « qu'une des membrures principales située au centre du bateau était tordue et cassée ». Cette découverte faillit provoquer une panique parmi les passagers. En dépit de son expérience de la mer, le capitaine Jones estima que l'affaire était assez grave pour consulter les officiers et leur demander s'il ne valait pas mieux retourner en Angleterre. « Après avoir recueilli toutes les opinions, le maître principal et les autres », devait dire Bradford, « affirmèrent que le bateau restait solide et tenait bien la mer. » Pour réparer l'avarie, ils fabriquèrent une « grosse vis de fer », dont on ne peut préciser la forme exacte, et s'en servirent pour remettre la membrure en place. La coque fut encore renforcée par une pièce de bois prenant appui sur le pont inférieur, et le *Mayflower* put ainsi poursuivre sa route.

Indépendamment des tensions infligées au navire, les tempêtes ne faisaient qu'aggraver l'incertitude à l'égard de la route suivie. Au XVIIe siècle, la navigation en haute mer restait encore primitive. Sur l'Océan, les commandants ne disposaient guère que d'un compas et d'un quadrant, leur permettant de mesurer la hauteur du soleil et de déterminer de manière approximative la position en latitude du bateau. En revanche, ils ne disposaient encore d'aucun moyen pour déterminer la longitude. La seule méthode consistait à estimer la vitesse du navire et à déterminer la dérive.

Pour la vitesse, les marins ne disposaient que du loch, un câble relié à une pièce de bois, avec des nœuds tous les 1 852 mètres. Au moment où le câble était lancé à l'arrière, un sablier, suspendu à un barrot pour offrir un écoulement régulier en dépit du roulis et du tangage, mesurait le temps écoulé. Compte tenu du nombre de nœuds qui avaient défilé pendant un laps de temps déterminé, le capitaine pouvait estimer la marche du bateau. Quant à l'appréciation de la rapidité des courants, elle reposait uniquement sur les témoignages du passé. Il n'y avait aucun moyen d'en fixer exactement la vitesse. En fin de compte, Jones et Clark n'avaient qu'une idée des plus vagues de leur position.

Comme le voyage se prolongeait, les incertitudes et la crainte s'aggravèrent. Les gens devenaient de plus en plus irascibles. Un des matelots, notamment, se mit à persécuter les passagers, les maudissant et les insultant quand ils tombaient malades. D'après Bradford, « il leur déclarait qu'il espérait bien en voir passer plus de la moitié par-dessus bord avant la fin du voyage ». Mais, avant même le milieu de la traversée, « le Seigneur eut la bonté d'infliger à ce jeune marin une maladie des plus graves, dont il mourut de la manière la plus pénible qui soit, et il fut le premier à être jeté à la mer ». Même si Bradford n'en souffle mot, il est probable que l'équipage modifia ensuite son comportement à l'égard des passagers, compte tenu de la superstition des gens de mer.

Ce fut en réalité le seul décès enregistré parmi les marins. Il n'y eut également qu'une seule disparition parmi les passagers, celle de William Butten, un jeune domestique, qui succomba à une maladie indéterminée, lorsque le navire approchait des côtes américaines. A peu près au même moment, on enregistra une naissance chez un jeune couple, Elizabeth et Stephen Hopkins. Ils baptisèrent l'enfant Oceanus ; le bébé devait devenir marin.

Au début novembre, on aperçut des oiseaux dans le ciel. Les passagers commencèrent à percevoir ce que les journaux de navigation appelaient le « doux parfum » des forêts américaines. Ces senteurs émanaient des pins, des sapins et des érables qui se développaient le long du littoral. Le 9 novembre, le guetteur installé dans le nid de pie signala la terre, de hautes falaises de sable, à proximité du cap Cod, c'est-à-dire de la ville actuelle de Truro. Mais le navire n'aborda pas. « Après une discussion », devait dire Bradford, « les voyageurs décidèrent de continuer vers le sud pour trouver un emplacement à proximité de l'embouchure de l'Hudson ». Le *Mayflower* poursuivit donc sa route jusqu'à se trouver « au milieu de dangereux bancs de sable et de redoutables brisants ». En constatant cela les chefs de l'expédition décidèrent de rebrousser chemin le long de la côte déjà reconnue, où ils savaient pouvoir accoster. Restant nettement au large, le capitaine fit ainsi voile vers le nord, avant de contourner lentement la pointe du cap Cod et de pénétrer dans la baie.

Le 11 novembre, après soixante-cinq jours de mer, le *Mayflower* jetait l'ancre au large de Provincetown, dans une des rades les mieux

Quelques hommes à bord d'un canot quittent le Mayflower entouré de glaces et se dirigent vers la côte de Plymouth. Pendant l'hiver rigoureux de 1620-1621, les Pères pèlerins restèrent à bord du navire, établissant des plans et abattant des arbres pour construire des maisons.

abritées de la côte. Pour les pèlerins, ce fut un moment d'intense émotion. D'après Bradford, ils tombèrent à genoux et remercièrent Dieu de les avoir délivrés des «périls et des misères» de la mer et de leur avoir permis «de fouler à nouveau la terre, leur véritable élément».

Ils se trouvaient saufs, peut-être, mais parfaitement vulnérables. Comme le soulignerait Bradford, «il n'y avait pas un seul ami pour les accueillir, pas la moindre auberge pour reposer leurs corps éprouvés par la mer. Pas davantage de maisons ni de villes pour chercher où trouver du secours.» Il soufflait un vent glacial, et bientôt il se mit à neiger. Tout en étant condamnés à rester à bord du navire, ils effectuèrent plusieurs reconnaissances à terre, pataugeant dans une eau qui n'allait pas tarder à geler. Pendant que les femmes se livraient à la lessive, les hommes exploraient les environs; ils ne tardèrent pas à déceler la présence d'Indiens. Quant au charpentier et ses aides, ils entreprirent de réparer la chaloupe, qui avait été gravement endommagée par les chocs subis au cours de la traversée.

Il fallut plus de deux semaines pour rafistoler la chaloupe et remettre en place son mât unique. Quand ce travail essentiel fut accompli, Miles Standish partit avec un petit groupe reconnaître la côte. Il revint deux jours plus tard, estimant que le cap, avec ses maigres bouquets d'arbres battus par les vents, constituait un emplacement bien médiocre pour l'établissement d'une colonie. Le 6 décembre, Standish et sa petite avant-garde reprirent la chaloupe pour explorer davantage le fond de la baie, appelé aujourd'hui Wellfleet Bay. Après avoir pataugé dans l'eau, les hommes atteignirent la côte et s'aventurèrent dans l'intérieur. Ils découvrirent un campement d'Indiens, des corbeilles de maïs et sur la rive les restes d'une baleine échouée que les Indiens avaient dépecée. Les colons campèrent sur place et passèrent une nuit paisible, probablement après avoir prélevé leur repas. Le lendemain, les Indiens firent leur apparition. Ils lancèrent immédiatement une pluie de flèches en direction des intrus. Ils furent repoussés par une salve de mousquet. Même s'il n'y eut aucune victime, le cap parut moins accueillant que jamais.

Le groupe de reconnaissance repartit en direction de la terre, de l'autre côté de la baie. Une violente tempête éclata alors et arracha le mât de la chaloupe. Le groupe accosta à un emplacement en apparence accueillant; des ruisseaux se jetaient dans la mer et le sol conservait la trace de plantations de maïs. Ravis, Standish et ses compagnons retraversèrent la baie; ils informèrent les autres passagers de leur découverte, et le *Mayflower* suivit la chaloupe. Ainsi, le 15 décembre, plus de trois mois après avoir quitté l'Angleterre et près de cinq mois après l'arrivée de l'avant-garde des pèlerins depuis les Pays-Bas à bord du *Speedwell*, le *Mayflower* mouillait dans le petit port qui figurait sur la carte de John Smith sous le nom de Plymouth.

Les espoirs suscités par le débarquement ne tardèrent cependant pas à s'évanouir. Le temps restait clément en Nouvelle-Angleterre, à l'entrée de l'hiver, mais avant d'avoir pu se construire des abris à terre les pèlerins durent continuer à vivre à bord du navire. Ils ne tardèrent pas à être atteints de ce que Bradford appela « la visitation générale », très probablement une combinaison de scorbut, de pneumonie et d'une forme de tuberculose aiguë. L'épidémie se développa d'autant plus rapidement que les voyageurs se trouvaient affaiblis par les fatigues et le mauvais régime alimentaire de la traversée. Quatre d'entre eux avaient déjà péri quand le *Mayflower* arriva à Provincetown; d'autres succombèrent ensuite, les uns après les autres. Au moment où l'épidémie cessa, 53 personnes seulement, c'est-à-dire la moitié des pèlerins, ainsi que la moitié de l'équipage, avaient survécu. Parmi les victimes, on comptait John Carver, remplacé comme gouverneur par Bradford. Au pire moment, une demi-douzaine seulement des représentants du groupe demeurèrent valides. Ils risquèrent constamment leur santé en aidant les malades à se déplacer, en faisant la cuisine, les lits, et en accomplissant d'autres tâches « que les cœurs délicats n'aiment guère évoquer », ajoute Bradford.

Avec le rétablissement de leur santé, les survivants commencèrent à s'intéresser à l'intérieur. Ils entreprirent de défricher la forêt et de construire des chaumières comportant une pièce unique, avec des murs de rondins dont les interstices étaient bouchés avec de la glaise. Un Indien bien intentionné, appelé Squanto et qui comprenait un peu l'anglais, leur apprit à capturer des anguilles et des petits poissons dans les rivières. Ils tuèrent des dindes sauvages et des chevreuils, ramassèrent des huîtres et des moules et capturèrent des homards le long de la côte. Ils réussirent ainsi à franchir le cap de l'hiver. Le 21 mars, les derniers pèlerins survivants débarquèrent avec leurs bagages du *Mayflower*.

Aux termes de l'accord établi entre les pèlerins et les marchands qui avaient financé l'opération, le navire devait regagner l'Angleterre, avec une cargaison rassemblée grâce au troc, à l'achat, au travail, à la pêche ou à tout moyen mettant en jeu une ou plusieurs personnes. En réalité, les pèlerins avaient dû déployer une telle activité pour survivre qu'il n'avait pas été question de constituer la moindre cargaison. Le

Le rocher des Pères pèlerins

Au milieu du XIXe siècle, des touristes visitent Plymouth Rock, protégé des curieux par une grille.

Quand Alexis de Tocqueville visita les États-Unis vers 1830, il fut étonné par la vénération que les Américains manifestaient à l'égard de Plymouth Rock, l'endroit où les Pères pèlerins avaient débarqué au Nouveau Monde. « C'est une simple pierre que de malheureux fugitifs foulèrent pendant quelques instants et cette pierre est devenue célèbre. »

En réalité, les pèlerins n'avaient peut-être nullement foulé ce rocher. Infiniment plus occupés à survivre qu'à entrer dans l'Histoire, ils négligèrent de préciser l'endroit exact de leur débarquement en 1620. Il fallut attendre 1741, lorsque les armateurs de Plymouth entreprirent de construire un quai, pour qu'un vieillard de 95 ans, Thomas Faunce, manifeste son opposition. Il affirma que, lorsqu'il était enfant, les pèlerins lui avaient raconté avoir débarqué sur une dalle de granit située dans le port et que la construction du quai ferait disparaître ce souvenir national. Devant une délégation d'habitants, Faunce embrassa le rocher et, tout en pleurant, « il lui adressa un ultime adieu ». La dalle était épargnée, la légende naquit...

A l'époque où Tocqueville écrivait son ouvrage *De la démocratie en Amérique*, le rocher, ou plutôt un énorme fragment de plusieurs tonnes, se trouvait au centre de la place principale de la ville. Il avait été transporté là par un attelage de 30 paires de bœufs, à la veille de la guerre d'Indépendance. En 1880, ce fragment fut ramené près du rivage, à côté du bloc primitif, et surmonté d'une loggia de style victorien. Par la suite, la loggia et les vieux appontements furent déplacés. Toute cette zone fut tranformée en parc et, à marée haute, la mer venait lécher le Plymouth Rock, comme en 1620.

capitaine Jones, intéressé à l'activité commerciale de son navire, décida de regagner l'Angleterre, même sur lest, et, le 5 avril, il était prêt à appareiller. Il proposa d'embarquer tous ceux qui souhaitaient rentrer. Pas un seul pèlerin ne répondit à cette invitation.

Bien au contraire. Ils s'installèrent dans leur fragile village et se forgèrent un nouveau style de vie. Avec l'arrivée du printemps et du dégel, ils semèrent l'orge, le blé et les pois apportés avec eux. Avec l'aide de Squanto, ils mirent en culture une dizaine d'hectares de maïs. A l'automne, ils procédèrent à leurs premières récoltes et les résultats du maïs américain se révélèrent supérieurs aux semences anglaises. Le village de Plymouth comprenait à présent un certain nombre de petites maisons et on construisait une mairie. Envahis par un sentiment d'euphorie, les colons s'accordèrent trois jours de fête et d'actions de grâces. Ils invitèrent Squanto et plusieurs membres de sa tribu avec lesquels ils s'étaient liés d'amitié.

Le 11 novembre 1621, un an exactement après que le *Mayflower* eut touché terre, un navire de 55 tonnes, la *Fortune*, arrivait à son tour et jetait l'ancre dans le port. Il transportait 35 nouveaux colons, « sans compter des gâteaux et des victuailles ». Il apportait également une lettre destinée au responsable du groupe. « Le fait que vous n'ayez envoyé aucune cargaison à bord du navire est surprenant et pour le moins désastreux. » La lettre demandait aux pèlerins d'expliquer le mieux possible comment les crédits avaient pu être utilisés. Dans sa réponse, Bradford résumait les difficultés rencontrées par les pèlerins. Il soulignait que la disparition « d'hommes habiles ne pouvait faire l'objet d'aucune estimation ». Les colons tentèrent cependant de réparer le préjudice. Ils embarquèrent à bord de la *Fortune* des fourrures, de castor en particulier, ainsi que des planches tirées d'un bois qui se révélait abondant. La *Fortune* reprit le chemin de l'Angleterre à la fin du mois de décembre. Mais elle se trouva amputée de sa cargaison, saisie par un navire de guerre français. La première phase du trafic conçu par John Smith commençait sous de fâcheux auspices.

La seconde vague d'immigration concerna un autre groupe de dissidents, des puritains, qui commencèrent à arriver dans le Nouveau Monde, à partir de 1630, dans le cadre de ce qu'on devait appeler la grande migration. Plus intolérants encore que les séparatistes qui les avaient précédés, les puritains étaient animés de la volonté de diriger tous les aspects de la vie religieuse et politique et d'imposer à la population des décisions d'ordre général. Sous la conduite d'un chef intransigeant, John Winthrop, un membre de la petite noblesse rurale qui avait jeté son dévolu sur la Nouvelle-Angleterre pour y établir de grandes propriétés exploitées par des salariés, des puritains entreprirent de rassembler une flotte de dix-sept navires à Southampton, au cours de l'hiver 1629-1630. Le 29 mars, les sept premiers navires appareillèrent, avec près de 700 passagers. Les autres suivirent isolément.

Tous ces bâtiments durent affronter de violentes tempêtes. L'entassement était tel à bord de certains bateaux qu'il fallut jeter à la mer chevaux et bétail pour empêcher les navires de chavirer. Le gouverneur Winthrop devait faire allusion aux passagers malades qui « gémissaient » à bord de son navire amiral, l'*Arbella*. Mais il ne précisa pas le nombre de morts au cours de la traversée.

L'*Arbella* atteignit la baie du Massachusetts le 10 juin, et les autres bâtiments arrivèrent à leur tour, au cours des semaines suivantes. Dès que les puritains se furent établis, ils demandèrent à leurs coreligionnaires restés en Angleterre de les rejoindre. En une dizaine d'années, près de 16 000 puritains avaient gagné l'Amérique et les villages s'étaient établis sur 125 kilomètres le long de la côte du Massachusetts.

L'installation de ces nouveaux venus se révéla plus facile que celle de leurs devanciers. Dès leur arrivée, ils purent disposer de maïs, de bétail et de bois de charpente. Ils apportaient avec eux des outils, des fusils et d'autres objets manufacturés, que les premiers arrivants s'empressèrent d'acquérir contre les fruits de leur travail.

Toutefois, vers 1640 cette émigration s'étiola de manière dramatique. Animés par les discours incendiaires et l'habileté militaire d'un agitateur du nom de Cromwell, les rebelles d'Angleterre ne songèrent plus qu'à s'emparer du pouvoir pour des raisons identiques à celles qui avaient amené les puritains à s'expatrier. Quand Cromwell fit exécuter Charler Ier, les puritains n'avaient plus besoin d'un refuge de l'autre côté de l'Atlantique. Les bateaux de pêche eux-mêmes cessèrent d'effectuer la traversée de l'Océan pour se procurer de la morue. Alors que la guerre civile faisait rage, les Cavaliers enrôlèrent de force dans la marine de guerre tous les équipages des navires marchands qu'ils surprenaient en haute mer.

Aux colonies mêmes, le matériel se dégradait à la mesure de la baisse de l'immigration. Les charrues, les fusils se trouvaient hors d'usage et les pièces de rechange n'arrivaient plus. « Les produits de l'extérieur deviennent rares, notait Winthrop, et nos fabrications sont hors de prix. » L'isolement eut cependant une autre conséquence, bénéfique à long terme. « Cette détresse, constatait le gouverneur, oblige les gens à se procurer eux-mêmes du poisson, des bardeaux et à envisager de commercer avec les Antilles. »

Les colons réussirent à faire des pêches abondantes de morue, d'églefin, de lieu, de colin, de maquereau, dans les eaux de la Nouvelle-Angleterre, et à expédier des cargaisons entières de poisson séché et d'huile de morue. Les bourgades de Salem, Gloucester, Marblehead et bien d'autres ne cessèrent de se développer tout le long de la côte et devinrent d'importants centres de pêche. Au cours de la seule année 1641, plus de 300 000 morues furent débarquées dans les ports du Massachusetts, prêtes à être expédiées de l'autre côté de l'Atlantique.

Pour en effectuer le transport, le gouverneur Winthrop, qui avait pu constater que la région ne se prêtait pas aux plantations espérées, incita les colons du Massachusetts à se lancer dans l'activité rémunératrice de la construction navale. Quelques chantiers avaient été créés au début de la colonisation. Mais il s'agissait alors de répondre à l'exploration des côtes, de remplacer des bateaux victimes de naufrages ou tout simplement de permettre les retours en Angleterre. C'est cette intention qui devait animer un groupe d'Anglais établis, au tout début du siècle, à Stage Island, à l'embouchure de la Kennebec, dans le Maine; découragés par le climat, ils construisirent une pinasse de 30 tonnes, à un seul mât, la *Virginia*. Au printemps de 1608, ils purent ainsi regagner la métropole. Ce petit bateau se révéla si solide qu'il effectua plusieurs autres traversées transatlantiques.

Des architectes, des charpentiers et des scieurs de long figuraient parmi les puritains de la grande migration. Ils trouvèrent rapidement l'occasion d'exercer leur activité. En 1631, une barque de 30 tonnes,

Cette aquarelle du XX*e siècle représente la pinasse de 30 tonnes* Virginia, *au large de la côte de la Nouvelle-Angleterre. Ce fut le premier bateau construit par les colons anglais en Amérique. Lancé en 1607 sur la rivière Kennebec, dans le Maine, ce bâtiment ramena des colons découragés en métropole. Il effectua plusieurs traversées avant de faire naufrage sur la côte irlandaise.*

appelée *Blessing of the Bay*, fut lancée sur la rivière Mystic, près de la colonie puritaine de Medford. Elle fut utilisée tout le long de la côte pour le transport du bois et du poisson. En 1636, Medford assista au lancement du plus grand bâtiment jamais encore construit aux colonies: la *Desire* de 120 tonnes, destinée au commerce de l'Atlantique.

Il ne s'agissait encore que d'un commencement. Winthrop éprouvait une véritable passion à créer des industries. Il exempta les ouvriers des chantiers du service de la milice. Pour se procurer de la main-d'œuvre supplémentaire, il fit construire des scies hydrauliques, procédé encore ignoré des chantiers britanniques. A la faveur de cette politique, le port de Salem construisit en 1641 la *Mary Ann* de 300 tonnes. En 1642, Boston, devenu un grand centre de construction, lança le *Trial* de 160 tonnes. De 1643 à 1646, il mit ainsi à la mer cinq nouveaux bâtiments dont le tonnage oscillait de 200 à 400 tonnes. Ces bateaux ne tardèrent pas à sillonner les routes de l'Atlantique ou celles des Antilles. Boston ouvrit simultanément des ateliers de réparations, à la disposition des bâtiments étrangers.

La plupart de ces navires construits aux colonies étaient financés par des négociants anglais pour des raisons évidentes. Les bateaux étaient achevés plus rapidement et à meilleur prix aux colonies. Même si les clients potentiels se trouvaient éloignés, cette politique intense de

Cette affiche invite les colons prêts à partir pour la Virginie en 1622 à se munir de « huit demi-boisseaux de farine, de cinq haches d'abattage, de clous de toutes sortes » et de différents objets pour se garantir contre les risques de pénurie de fournitures. Alléchés par la promesse d'un lopin de terre de 50 acres (20 hectares), les colons affluèrent au rythme de 1 000 par an.

construction navale eut des résultats favorables pour la prospérité des colonies. Avec la demande croissante de bois de charpente, les chantiers d'abattage se multiplièrent, non seulement dans le Massachusetts, mais dans les colonies voisines du Maine et du New Hampshire. Des villages permanents se créèrent autour de ces chantiers. L'augmentation du nombre de navires entraîna la prolifération d'ateliers de fabrication de voiles, de cordages, d'accastillage. Dans le même temps, les moulins se développaient, permettant l'envoi de farine aux Antilles, en échange de sucre et de mélasse. Celle-ci provoqua l'apparition d'une nouvelle activité, la distillation du rhum.

D'une façon ou d'une autre, presque tous les colons, quelles que fussent leurs aptitudes originales, bénéficièrent du développement de la vie maritime. En hiver, à la faveur de la morte saison, les cultivateurs partaient à la pêche. Pendant les longues soirées, tous ceux qui vivaient à proximité des bois et qui savaient se servir d'un couteau pouvaient tailler les douves des tonneaux utilisés pour le transport des cargaisons. Grâce aux liaisons maritimes, les habitants de la Nouvelle-Angleterre élargirent leur champ d'activité. Dans une première étape, les colons ne pouvaient que souhaiter participer, en liaison avec les Anglais, à l'armement des navires et obtenir une part de profit sur les importations et les exportations. Par la suite, ils furent tout naturellement amenés à armer eux-mêmes des bateaux et à conserver tous les bénéfices.

Au cours des dix-huit années de guerre civile en métropole, les marchands de la Nouvelle-Angleterre continuèrent à développer les activités maritimes. En 1660, au moment du rétablissement de la monarchie, ils disposaient de leurs propres flottilles de pêche et entretenaient des relations commerciales avec l'Europe méridionale et les Antilles. Quinze ans plus tard, même si la plupart des bateaux restaient la propriété d'armateurs anglais, les négociants du Massachusetts possédaient 430 navires variant de 30 à 250 tonnes. Quant à la construction navale, elle avait fini par s'étendre parmi les colonies du nord et du centre.

D'autres établissements apparaissaient encore dans le sud, mais d'une nature différente. Les colons de Virginie entreprenaient la création de vastes plantations. La nature se montrait plus généreuse dans le sud qu'en Nouvelle-Angleterre. Associé au climat, le sol paraissait favorable à la culture d'une variété douce de tabac originaire d'Amérique du Sud et introduite, en 1612, à Jamestown depuis l'Angleterre par un planteur du nom de John Rolfe. En 1616, quatre ans après les premiers essais de Rolfe, 2 300 livres de ce qui allait devenir le tabac de Virginie arrivaient en Angleterre. L'année suivante, 10 tonnes étaient débarquées en métropole. A la fin du siècle, des centaines de navires se révéleraient nécessaires pour transporter une seule récolte annuelle, de l'ordre de 11 000 tonnes.

Indépendamment de leur type d'activité, tous ceux qui arrivaient en Amérique entretenaient avec la mer une relation qui dépassait le stade économique. La traversée de l'Atlantique laissait une marque dans la conscience de chacun. C'est en ces termes que le puritain Francis Higginson évoquait ses souvenirs : « La mer rugissait et les vagues nous secouaient affreusement. Il faisait terriblement sombre et les marins nous effrayaient, en courant çà et là, en s'interpellant violemment lors des manœuvres des cordages. » Un Virginien a conservé le souvenir que dans la cale personne ne parvenait à retrouver son souffle « en raison d'une panique nocturne provoquant la décomposition du sang

THE INCONVENIENCIES THAT HAVE HAPPENED TO SOME PERSONS WHICH HAVE TRANSPORTED THEMSELVES

from *England* to *Virginia*, vvithout prouisions necessary to sustaine themselues, hath *greatly hindred the Progresse of that noble Plantation: For preuention of the like disorders* heereafter, that no man suffer, either through ignorance or misinformation; it is thought requisite to publish this short declaration: wherein is contained a particular of such neces-*saries, as either priuate families or single persons shall haue cause to furnish themselues with, for their better support at their first landing in* Virginia; *whereby also greater numbers may receiue in part, directions how to prouide themselues.*

Apparrell.

Apparrell for one man, and so after the rate for more.

	li.	s.	d.
One Monmouth Cap	00	01	10
Three falling bands	—	01	03
Three shirts	—	07	06
One waste-coate	—	02	02
One suite of Canuase	—	07	06
One suite of Frize	—	10	00
One suite of Cloth	—	15	00
Three paire of Irish stockins	—	04	—
Foure paire of shooes	—	08	08
One paire of garters	—	00	10
One doozen of points	—	00	03
One paire of Canuase sheets	—	08	00
Seuen ells of Canuase, to make a bed and boulster, to be filled in *Virginia* 8.s. One Rug for a bed 8. s. which with the bed seruing for two men, halfe is	—	08	00
Fiue ells coorse Canuase, to make a bed at Sea for two men, to be filled with straw, iiij. s. One coorse Rug at Sea for two men, will cost vj. s. is for one	—	05	00
	—	—	—
	04	00	00

Victuall.

For a whole yeere for one man, and so for more after the rate.

	li.	s.	d.
Eight bushels of Meale	02	00	00
Two bushels of pease at 3.s.	—	06	00
Two bushels of Oatemeale 4.s. 6.d.	—	09	00
One gallon of *Aquauitæ*	—	02	06
One gallon of Oyle	—	03	06
Two gallons of Vineger 1. s.	—	02	00
	—	—	—
	03	03	00

Armes.

For one man, but if halfe of your men haue armour it is sufficient so that all haue Peeces and swords.

	li.	s.	d.
One Armour compleat, light	—	17	00
One long Peece, fiue foot or fiue and a halfe, neere Musket bore	01	02	—
One sword	—	05	—
One belt	—	01	—
One bandaleere	—	01	06
Twenty pound of powder	—	18	00
Sixty pound of shot or lead, Pistoll and Goose shot	—	05	00
	—	—	—
	03	09	06

Tooles.

For a family of 6. persons and so after the rate for more.

	li.	s.	d.
Fiue broad howes at 2.s. a piece	—	10	—
Fiue narrow howes at 16.d. a piece	—	06	08
Two broad Axes at 3.s. 8.d. a piece	—	07	04
Fiue felling Axes at 18.d. a piece	—	07	06
Two steele hand sawes at 16.d. a piece	—	02	08
Two two-hand-sawes at 5. s. a piece	—	10	—
One whip-saw, set and filed with box, file, and wrest	—	10	—
Two hammers 12.d. a piece	—	02	00
Three shouels 18.d. a piece	—	04	06
Two spades at 18.d. a piece	—	03	—
Two augers 6.d. a piece	—	01	00
Sixe chissels 6.d. a piece	—	03	00
Two percers stocked 4.d. a piece	—	00	08
Three gimlets 2.d. a piece	—	00	06
Two hatchets 21.d. a piece	—	03	06
Two froues to cleaue pale 18.d.	—	03	00
Two hand-bills 20. a piece	—	03	04
One grindlestone 4.s.	—	04	00
Nailes of all sorts to the value of	02	00	—
Two Pickaxes	—	03	—
	06	02	08

Houshold Implements.

For a family of 6. persons, and so for more or lesse after the rate.

	li.	s.	d.
One Iron Pot	00	07	—
One kettle	—	06	—
One large frying-pan	—	02	06
One gridiron	—	01	06
Two skillets	—	05	—
One spit	—	02	—
Platters, dishes, spoones of wood	—	04	—
	01	08	00

	li.	s.	d.
For Suger, Spice, and fruit, and at Sea for 6 men	00	12	06
So the full charge of Apparrell, Victuall, Armes, Tooles, and houshold stuffe, and after this rate for each person, will amount vnto about the summe of	12	10	—
The passage of each man is	06	00	—
The fraight of these prouisions for a man, will bee about halfe a Tun, which is	01	10	—
So the whole charge will amount to about	20	00	00

Nets, hookes, lines, and a tent must be added, if the number of people be greater, as also some kine.

And this is the vsuall proportion that the Virginia *Company doe bestow vpon their Tenants which they send.*

Whosoeuer transports himselfe or any other at his owne charge vnto *Virginia*, shall for each person so transported before Midsummer 1625. haue to him and his heires for euer fifty Acres of Land vpon a first, and fifty Acres vpon a second diuision.

Imprinted at London by Felix Kyngston. 1622.

et une affection comparable à la peste». Un passager qui effectua la traversée lors de la grande migration devait laisser une description terrifiante de la situation à bord du *Virginia Merchant* quand les vivres commencèrent à manquer. «Les femmes et les enfants n'arrêtaient pas de pleurer et de gémir. Les rats qui pullulaient à bord avaient jusque-là constitué un fléau; nous étions bien contents maintenant de pouvoir les manger. Une fois capturé, un gros rat se vendait 16 shillings. Avant la fin du voyage, une passagère offrit jusqu'à 20 shillings pour un de ces rongeurs; celui qui l'avait capturé refusa et la femme mourut.»

Pour beaucoup, la traversée de l'Atlantique s'identifia à la plus grande épreuve de leur existence, mais également à leur plus grand chance. Les émigrants appartenaient rarement à l'aristocratie, voire même à la classe supérieure. Un certain nombre de nobles arrivèrent cependant après la mort du roi Charles Ier; il y eut également un courant de cadets de bonne famille, décidés à tenter fortune en raison des règles du droit d'aînesse. Des protestants dissidents continuèrent également à affluer. Certains huguenots français s'établirent dans les Carolines après la révocation de l'Édit de Nantes. A la même époque, les quakers, après une tentative malheureuse en Nouvelle-Angleterre, où ils avaient été mal accueillis par les puritains, s'installèrent en Pennsylvanie. Parmi les nouveaux venus figuraient également des prisonniers politiques chassés pendant la dictature d'Olivier Cromwell et même plus tard. Mais la plupart des émigrants, surtout pendant la grande migration puritaine, arrivaient parce qu'ils n'avaient plus rien à espérer dans l'Ancien Monde.

A partir du début du XVIIe siècle, commença en Angleterre le mouvement des enclosures. Les champs furent entourés de maïs pour permettre l'élevage du mouton mérinos. A la faveur de la mutation d'une agriculture de plus en plus commercialisée, des milliers de petits cultivateurs furent chassés de leurs terres et obligés d'errer à travers la campagne, à la recherche d'un emploi. Alors que la population de l'Angleterre ne dépassait pas 5 millions d'habitants, le pays finit par croire qu'il était surpeuplé. Pour répondre à cet excédent supposé et par la même occasion créer de nouveaux marchés, la solution la plus facile consistait à expédier les gens de l'autre côté de l'Atlantique. En raison de leur dénuement, la moitié au moins de ceux qui traversèrent l'Océan arrivèrent pourvus d'un engagement. Tel était le cas pour neuf passagers à bord du *Mayflower*, parmi lesquels deux ou trois enfants.

Pour le prix de leur passage, ces engagés acceptaient de travailler, suivant les stipulations d'un contrat signé en Angleterre avant leur départ, ou présenté à l'arrivée en Amérique par un intermédiaire. En échange de trois à sept années de travail, ou jusqu'à leur majorité s'il s'agissait de mineurs, ils étaient nourris et habillés. A la fin de leur engagement, ils recevaient le plus souvent, suivant les termes spécifiés dans leur contrat, un lopin de terre.

Dans le Nord, les engagés travaillaient comme ouvriers agricoles, comme artisans dans des petites entreprises ou comme domestiques. Dans le Sud, où ils arrivaient nombreux, ils étaient dirigés sur les grandes plantations qui avaient tendance, à la fin du siècle, à remplacer les petites exploitations. Vers 1670, on estima que le dixième de la main-d'œuvre blanche qui travaillait dans les plantations de tabac du Maryland se trouvait sous le régime de l'engagement.

Il y avait encore une catégorie beaucoup moins privilégiée, privée de toute possibilité de libération: les Noirs venus d'Afrique comme esclaves.

L'étrange destinée de la princesse Pocahontas

Portrait de Pocahontas sous les traits d'une grande dame, probablement exécuté d'après une gravure dessinée lors de son séjour à Londres. C'est par erreur que l'on a donné à son mari John le nom de Thomas.

Dans une chronique de Jamestown parue en 1624, le capitaine John Smith prétend avoir été sauvé, dans des conditions dramatiques, par une princesse indienne, seize ans plus tôt. D'après ce récit, Smith aurait été fait prisonnier au cours d'une exploration et conduit devant Powhatan, le chef de la tribu du même nom. A la grande terreur de Smith, les Indiens l'allongèrent sur le sol et « se préparèrent à le battre à mort ». Au moment où les guerriers levaient leurs gourdins, la fille du chef, Pocahontas, se précipita et supplia son père d'épargner cet homme.

Cette histoire ne reçut jamais de confirmation mais un fait est certain: une amitié devait naître entre la jeune Indienne et cet Anglais barbu. Cette amitié conduirait Pocahontas à s'immiscer dans les affaires de Jamestown et à orienter sa destinée.

Au début de 1608, Pocahontas se mit à visiter régulièrement la colonie, apportant à Smith et aux colons du gibier et du pain. L'un d'eux devait souligner que, sans cela, « ils seraient morts de faim ». Après le retour de Smith en Angleterre en 1609, les colons ne virent plus Pocahontas jusqu'en 1613. Ils apprirent qu'elle fréquentait les Indiens Potomac, avec lesquels ils entretenaient de bonnes relations. Mais Powhatan manifestait alors une vive animosité à l'égard des colons. Il refusait de commercer avec eux et avait capturé des Anglais. En désespoir de cause, les colons s'emparèrent de Pocahontas et la gardèrent en otage, prêts à l'échanger contre des prisonniers, du maïs et des armes.

Powhatan mit du temps à répondre à cette proposition, amenant Pocahontas à se demander si son père l'estimait « moins que des vieilles épées, des haches ou d'autres armes ».

A Jamestown, Pocahontas apprit l'anglais, se convertit au christianisme et prit pour nouveau nom Rebecca. C'est alors que John Rolfe, un planteur de tabac qui avait pris en main son éducation, tomba amoureux d'elle et demanda sa main à l'adjoint du gouverneur de la colonie, lequel donna son accord, espérant rétablir ainsi la paix avec Powhatan. L'harmonie se trouva effectivement rétablie.

Au printemps de 1616, Pocahontas, son mari et leur jeune fils partirent pour l'Angleterre à l'invitation des promoteurs de Jamestown, qui espéraient que cette créature exotique constituerait une excellente forme de publicité pour leur opération du Nouveau Monde. Pocahontas fit sensation, à leur grande satisfaction. Elle fut présentée au roi et à la reine, ainsi qu'aux actionnaires. Ceux-ci ne dissimulèrent pas leur surprise de voir « que, non seulement elle paraissait totalement civilisée, mais qu'elle se comportait comme la fille d'un roi ».

Smith se trouvait en Angleterre, mais il ne rencontra Pocahontas qu'à l'automne. Quand il se présenta chez elle, sans se faire annoncer, Pocahontas fut tellement surprise qu'elle fut obligée de se retirer pour retrouver ses esprits. Quand elle réapparut, elle raconta à Smith qu'elle le croyait mort. Comme il était visiblement en parfaite santé, elle lui reprocha de l'avoir négligée.

Peu de temps après cette rencontre, qui lui avait laissé une impression de malaise, Smith quitta Londres et ne revit jamais Pocahontas. En 1617, elle tomba malade, probablement victime d'une des ces maladies européennes contre laquelle elle était mal protégée, et mourut avant d'avoir regagné l'Amérique. Avec sa disparition, la politique de paix pratiquée par les Indiens à l'égard de Jamestown se dégrada. En 1622, un massacre provoqua la mort de 300 colons dont, semble-t-il, le mari de Pocahontas.

Un certificat d'engagement daté du 15 novembre 1698, promet à un jeune Anglais de 15 ans, Mathew Evans, une traversée gratuite sur l'Atlantique et sa subsistance en Virginie contre un service de quatre ans au bénéfice du marin Thomas Graves. Plus de la moitié des Européens qui débarquèrent étaient soumis à des contrats de ce genre.

En 1619, un groupe de vingt Noirs fut débarqué par un bateau hollandais à Jamestown; c'étaient les premiers esclaves à atteindre l'Amérique du Nord. A partir de ce modeste début, l'institution ne cessa de prendre de l'importance. Vers 1670, on comptait 2 000 esclaves en Virginie, la plupart employés dans les plantations.

Indépendamment des esclaves, le développement de l'Amérique du XVIIe siècle coïncidait avec l'importance de l'activité maritime du Massachusetts, née à partir de 1640. Jusqu'à la fin du siècle, il n'y eut pas de mutation, mais une expansion régulière. Puis, quittant leur implantation au Nord, certains colons en quête de nouvelles terres se dirigèrent vers le Maryland et les Carolines. Depuis la vallée de l'Hudson, où les Hollandais avaient fondé la Nouvelle-Hollande (qui serait annexée par les Anglais en 1664), ils s'établirent dans les régions qui allaient constituer les États de New York, du New Jersey et du Delaware. La Pennsylvanie, revendiquée par William Penn en faveur des quakers, constitua un nouvel élément de prospérité parmi ces colonies.

Chaque année, de nouveaux colons arrivaient dans ces territoires. La population ne cessait de se développer, atteignant 160 000 personnes en 1680 et 190 000 en 1685. En dépit de la venue épisodique de Suédois en Delaware, de Hollandais à New York, de Français dans les Carolines, d'Allemands et de Polonais en Nouvelle-Angleterre, les immigrés de la fin du siècle étaient surtout des Anglais.

Malgré l'absence de véritable recensement, on peut penser que vers 1700 les colonies comptaient 250 000 colons ou descendants de colons. Au nord de la Nouvelle-Angleterre, des établissements français se limitaient à quelques postes de traite. Au sud des Carolines, la présence espagnole sur la côte américaine se réduisait à des missions et des forteresses côtières. Mais, entre ces deux implantations, à l'exception de la côte sablonneuse du New Jersey et de la barre orientale désolée du Maryland et de la Virginie, les colons occupaient une bande littorale de plus de 1 500 kilomètres, couverte de forêts inexplorées, à l'arrivée des pèlerins. Près de 80 000 colons habitaient en Nouvelle-Angleterre, en Virginie et dans le Maryland; la population des Carolines dépassait 85 000 personnes. Quant aux colonies du centre, New York, New Jersey, Pennsylvanie et Delaware, elles en comptaient 45 000.

En Nouvelle-Angleterre, les colons vivaient sur une étroite bande de terre qui n'atteignait pas 100 kilomètres. Au sud, les plantations se développaient sur une profondeur de 250 kilomètres, mais elles avaient tendance à se fixer le long des fleuves navigables, facilitant ainsi l'exportation du tabac par mer. Les secteurs les plus riches et les plus peuplés s'identifiaient aux ports. Boston avait 7 000 habitants, New York 3 900; Providence, Philadelphie et Baltimore commencaient à devenir de véritables villes. Même le Sud, dominé par l'économie de plantation, disposait d'un centre portuaire avec Charleston.

Le développement de ces ports fut d'autant plus rapide que la métropole et les colonies affichaient une étroite dépendance sur le plan commercial. De 1660 à 1700, les importations anglaises depuis l'Amérique doublèrent, passant de 200 000 à 400 000 livres. Quant aux exportations des colonies, elles bondirent de 105 000 à 350 000 livres. Au moment où le cap de la survie venait d'être franchi, une nouvelle lutte allait se développer dans l'Atlantique et tout au long de la côte américaine: une bataille entre l'Ancien et le Nouveau Monde qui aurait pour enjeu le contrôle des bénéfices du commerce maritime.

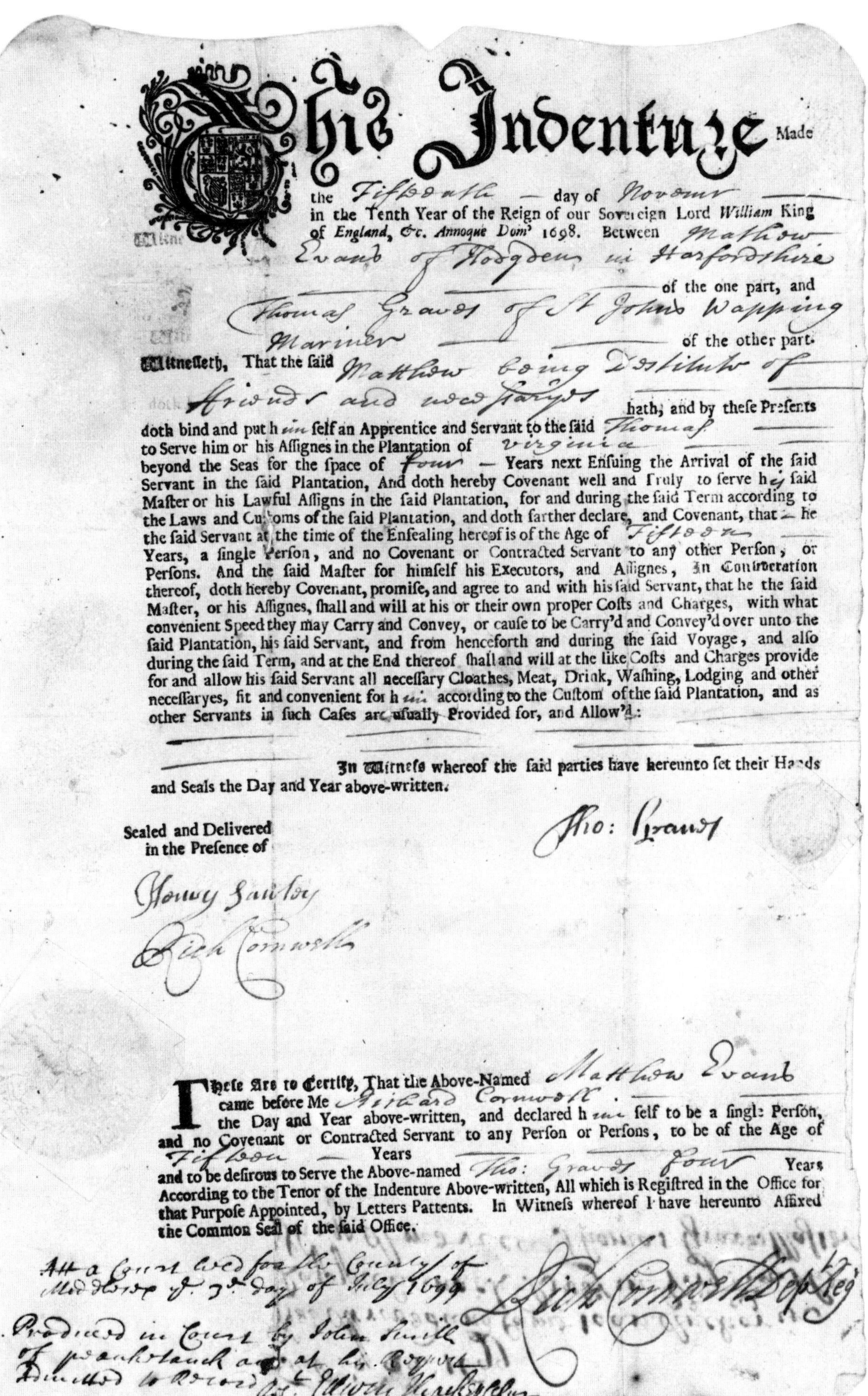

This Indenture Made the Fifteenth day of Novemr in the Tenth Year of the Reign of our Soveraign Lord *William* King of *England*, &c. *Annoque Dom'* 1698. Between Mathew Evans of Hodgden in Harfordshire of the one part, and Thomas Graves of St Johns Wapping Mariner of the other part. Witnesseth, That the said Matthew being Destitute of friends and necessaryes hath, and by these Presents doth bind and put him self an Apprentice and Servant to the said Thomas to Serve him or his Assignes in the Plantation of Virginia beyond the Seas for the space of four Years next Ensuing the Arrival of the said Servant in the said Plantation, And doth hereby Covenant well and Truly to serve his said Master or his Lawful Assigns in the said Plantation, for and during the said Term according to the Laws and Customs of the said Plantation, and doth farther declare, and Covenant, that he the said Servant at the time of the Ensealing hereof is of the Age of Fifteen Years, a single Person, and no Covenant or Contracted Servant to any other Person, or Persons. And the said Master for himself his Executors, and Assignes, In Consideration thereof, doth hereby Covenant, promise, and agree to and with his said Servant, that he the said Master, or his Assignes, shall and will at his or their own proper Costs and Charges, with what convenient Speed they may Carry and Convey, or cause to be Carry'd and Convey'd over unto the said Plantation, his said Servant, and from henceforth and during the said Voyage, and also during the said Term, and at the End thereof shall and will at the like Costs and Charges provide for and allow his said Servant all necessary Cloathes, Meat, Drink, Washing, Lodging and other necessaryes, fit and convenient for him according to the Custom of the said Plantation, and as other Servants in such Cases are usually Provided for, and Allow'd:

In Witness whereof the said parties have hereunto set their Hands and Seals the Day and Year above-written.

Sealed and Delivered in the Presence of

Thō: Graves

Henry Sanley

Rich Cornwell

These Are to Certify, That the Above-Named Matthew Evans came before Me Richard Cornwell the Day and Year above-written, and declared him self to be a single Person, and no Covenant or Contracted Servant to any Person or Persons, to be of the Age of Fifteen Years and to be desirous to Serve the Above-named Thō: Graves four Years According to the Tenor of the Indenture Above-written, All which is Registred in the Office for that Purpose Appointed, by Letters Pattents. In Witness whereof I have hereunto Affixed the Common Seal of the said Office.

Rich Cornwell Dep. Reg

At a Court held for the County of Middlesex ye 7th day of July 1699

Produced in Court by John Smith of Rappahanock and at his Request Admitted to Record. Test. Edwin Thacker Cler

La découverte du monde indien

L'Indien d'Amérique n'était pas vraiment un étranger pour les pionniers qui débarquaient à Jamestown et à Plymouth. Beacoup avaient déjà vu leurs premiers Indiens sur des reproductions de gravures de John White, un peintre de talent qui avait participé à des expéditions au Nouveau Monde.

Les Anglais avaient envisagé une colonisation de l'Amérique dès 1584, lorsque Sir Walter Raleigh avait envoyé une mission de reconnaissance, commandée par le capitaine Arthur Barlowe. Bien que la relation de ce voyage présente quelque incohérence, il semble que White y ait participé. En revanche, on est certain qu'il participa aux explorations de la côte au sud de la Chesapeake en 1585.

Quand la mission débarqua sur l'île de Roanoke, au large de la côte de la Nouvelle-Caroline actuelle, White visita les villages des Algonquins des environs. Il fit des croquis sur tous les aspects de leur vie, depuis la façon dont les Indiens prenaient et faisaient cuire le poisson jusqu'aux maisons funéraires où ils conservaient les dépouilles de leurs chefs. Cette remarquable documentation donna naissance à des aquarelles lors de son retour en Angleterre.

White aurait pu en rester là; mais il demeurait tourmenté par le démon de l'aventure. Il réussit à obtenir le mandat de chef d'une troisième expédition destinée à trouver un site pour la création d'une ville près de la Chesapeake. Avec trois vaisseaux, White quitta Plymouth le 8 mai 1587. Parmi les 112 colons, se trouvaient sa fille Eleanor, qui attendait un enfant, et son mari, Ananias Dare.

En juillet, la petite flotte atteignit Roanoke Island et les bâtiments en profitèrent pour se ravitailler. D'après White, c'est à ce moment que se produisit le seul événement agréable du voyage, avec la naissance de sa petite-fille, Virginia Dare. La poursuite du voyage se révéla fatigante, marquée par les récriminations des voyageurs qui se refusèrent à longer plus longtemps la côte sans avoir reçu des approvisionnements de la métropole. White repartit pour l'Angleterre chercher les produits demandés.

Il arriva juste à la fin de 1587, au moment où le pays tout entier s'apprêtait à repousser l'Invincible Armada. Cette crise nationale l'empêcha de revenir à Roanoke jusqu'en 1590. Un choc l'attendait: plus la moindre trace des colons.

75 aquarelles de White allaient cependant faire revivre l'arrivée des Anglais au Nouveau Monde. Largement reproduits à travers l'Europe, ces documents contribuèrent à forger l'image d'une Amérique débordante de richesses qui allait attirer un courant ininterrompu d'émigrés.

Poissons en train de griller. Les Indiens de Caroline mangeaient le poisson dès qu'ils l'avaient pris, au grand étonnement des Anglais. (Aquarelle de John White).

Ce tableau représente plusieurs types de pêche. Un Indien agite l'eau à l'arrière de la barque tandis que ses compagnons rament ou encore entretiennent un feu à bord pour attirer les poissons. Deux autres pénètrent dans l'eau avec des lances à la pointe empoisonnée. A gauche des casiers constituent des pièges.

The manner of their fishing.
Cannow

Their rype corne
Their greene corne.
Corne newly sprong
Their sitting at meate
The place of solemne prayer
The howse wherin the Tombe of their Herounds standeth.
SECOTON.
A Ceremony in their prayers with strange iestures and songs dansing about posts carued on the topps lyke mens faces.

Sur ce dessin d'un village algonquin, White représente des Indiens en train de manger (au centre), tandis qu'un groupe se livre à une danse rituelle au milieu d'un cercle de poteaux (en bas, à droite). Trois champs montrent les différentes étapes de la maturation du maïs.

Une palissade protège le village de Pomeiooc contre l'attaque des tribus voisines. Un Anglais constatait que les Indiens pratiquaient la guerre « par des attaques surprise, généralement à l'aube ou au clair de lune ».

Les corps de dix chefs tués à la guerre reposent sur le plancher d'une case funéraire sous le regard d'une statue de bois accroupie. Un prêtre affecté à la case entretient un feu de bois et « récite des prières jour et nuit », notait un des compagnons de White.

Un Indien et sa femme mangent une bouillie de maïs. Pour la préparer, les Indiens broyaient et faisaient bouillir les grains. Ce plat devint bientôt la nourriture de base des colons, mélangé à des morceaux de poisson et de viande.

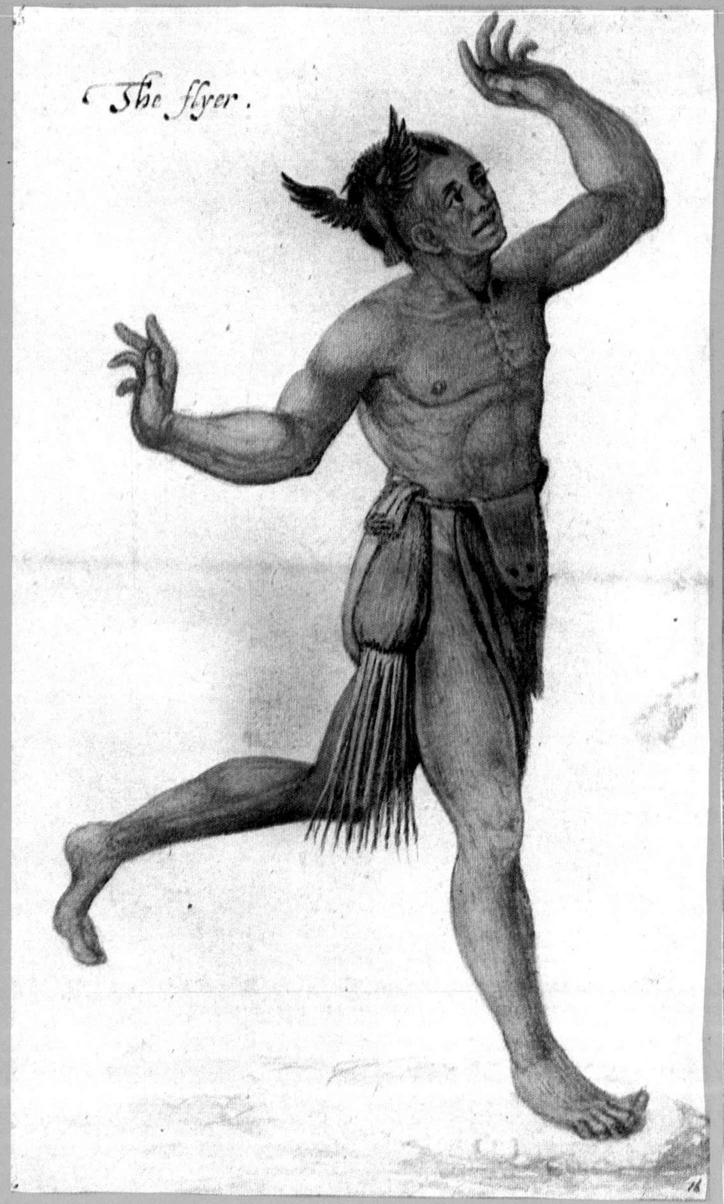

Un guérisseur algonquin, baptisé « l'oiseau », en raison du mouvement de ses bras, exécute une danse destinée à conjurer la maladie. La bourse attachée à sa ceinture contient du tabac : les Indiens lui attribuaient des vertus médicinales.

Un chef indien, portant une plaque de cuivre sur la poitrine, observe une pose familière, d'après le témoignage de White et de ses compagnons. « Les chefs, devait écrire l'un d'eux, croisaient les bras en marchant ou en parlant, en signe de sagesse. »

La femme d'un chef tient une calebasse tandis que sa *fille* joue avec la poupée donnée par un Anglais. Ces grosses calebasses contenaient souvent un breuvage, à base d'eau, de gingembre, de cinnamone et parfois de safran. Les Anglais apprécièrent cette boisson.

Un guerrier au corps tatoué, portant une queue d'animal en guise de trophée de chasse, s'appuie sur son arc. Les Anglais admiraient les arcs des Indiens. Ils *offraient* une grande précision à 40 mètres et pouvaient lancer une *flèche* jusqu'à 120 mètres.

Chapitre 2

De la rivalité commerciale à la guerre

Au cours d'une soirée de printemps, en 1680, deux hommes à l'allure pour le moins inattendue gagnaient à bord d'une embarcation un navire de commerce à la poupe étroite, l'*Expectation*, au mouillage dans le port de Boston. Le premier des visiteurs était un puritain de la baie du Massachusetts du nom de Joseph Webb. Il portait le titre de « justicier » et paraissait fort imbu de sa personnne. Le second était de toute évidence un Anglais. Il s'agissait d'Edward Randolph et, en raison de ses fonctions de receveur des douanes de Sa Majesté, il arborait un air encore plus suffisant que son compagnon.

Convaincu que l'*Expectation* se livrait à la contrebande, Randolph avait déjà tenté de visiter le bateau la nuit précédente. Mais il avait été brutalement éconduit à la manière yankee. On l'avait menacé de le jeter à l'eau et de lui faire subir d'autres traitements du même ordre. C'est pourquoi il revenait à la charge avec l'appui de Webb, muni d'une commission du gouverneur lui permettant de monter à bord. Il avait seulement oublié de se munir de craie. Le patron de l'embarcation lui en donna un morceau. Randolph s'en saisit, grimpa sur le pont de l'*Expectation* et traça une grosse flèche sur le mât. Il prenait ainsi possession de ce navire vagabond au nom de la Couronne.

La marque à la craie constituait en effet un signe de possession royale qui venait immédiatement après le pavillon national. Dans toutes les colonies anglaises du Nouveau Monde, cette marque était utilisée pour affirmer, entre autres, la propriété du roi sur des terres ou des forêts. La croix tracée par Randolph sur le mât de l'*Expectation* constituait le point de départ d'une tentative britannique afin de contrôler l'une des plus grandes sources de profit des colonies: la marine marchande américaine.

Au cours des soixante années qui s'étaient écoulées depuis l'arrivée du *Mayflower*, le trafic commercial du Nouveau Monde avait augmenté de manière spectaculaire. Dans les colonies du Sud, 46 000 acres se trouvaient consacrées à la culture du tabac, pour répondre à la demande croissante des marchés extérieurs. Dans le Nord, 34 chantiers construisaient des flottes entières destinées à toutes les formes de commerce. Les négociants américains ne se contentaient d'ailleurs plus de répondre par les exportations à la demande britannique. Ils mettaient en place des réseaux commerciaux qui court-circuitaient ceux de la métropole. C'est ainsi que Randolph écrivait à ses chefs de Londres: « Les négociants prennent bien soin de faire naviguer les bateaux sans interruption, ce qui les amène à explorer tous les ports en quête de fret. » Il ajoutait que la présence des navires coloniaux aux Antilles était devenue si courante qu'« il restait bien peu de chose à

Un trois-mâts, des sloops et des goélettes mouillent dans le bassin du petit chantier de Gray Inn Creek, sur la baie de la Chesapeake, au Maryland. Les chantiers de ce genre se multiplièrent durant le XVIIIe siècle. De 1730 à 1760, la proportion de bateaux utilisés par les Anglais et construits en Amérique passa de 1 à 4 au lieu de 1 à 6.

importer des plantations pour les marchands résidant en Angleterre ».

Précédemment, un voyageur anglais avait déjà constaté que les colons américains « se considéraient comme appartenant à un État libre et que beaucoup rejetaient l'autorité du roi ou toute dépendance à l'égard de l'Angleterre ». Un peu plus tard, un membre de la General Court du Massachusetts, cette assemblée par laquelle la Couronne concédait aux colons une autonomie restreinte, en arrivait à dire : « Les lois de l'Angleterre ne dépassent pas les frontières maritimes et n'atteignent pas l'Amérique. Dans cette partie du monde, les sujets de Sa Majesté ne sont pas représentés au Parlement. C'est pourquoi nous estimons que notre commerce ne peut être entravé par ses lois. » Un représentant du gouvernement de Londres répondit alors qu'à moins de mettre une sourdine à ce genre de raisonnement, « il ne pouvait y avoir d'autre solution que la rupture totale ».

Parler de rupture était alors très rare et cette éventualité ne commencerait à être sérieusement envisagée qu'au siècle suivant. De fait, au moment où Edward Randolph apparaissait sur la scène, l'Angleterre avait déjà fixé sa conception économique en des termes dépourvus de toute ambiguïté. De 1651 à 1696, le Parlement avait adopté une série d'Actes de navigation destinés à placer le commerce colonial au service de la métropole. Ces lois fixaient la liste des produits que les colonies étaient autorisées à expédier en Angleterre seulement, ou dans d'autres territoires d'obédience britannique. Au départ, cette liste se limitait au sucre, au tabac, au coton, à l'indigo et au bois de teinture. Par la suite, elle allait englober tous les produits des colonies, depuis les fanons de baleine jusqu'au bois de construction. Une taxe de cinq p. cent pesait sur ces exportations.

Quant aux importations, les Actes précisaient qu'elles devaient s'effectuer « à bord de bateaux anglais armés par des Anglais ». Les navires des colonies étaient bien considérés comme britanniques. Mais toutes les cargaisons transportées en Amérique à bord de navires de nationalité étrangère étaient susceptibles d'être « confisquées ». Pour renforcer son contrôle sur les importations des colonies, le Parlement précisait que les cargaisons venues d'autres pays européens devaient transiter par l'Angleterre et y acquitter des droits. Les commandants qui violeraient ces dispositions pourraient être inculpés de contrebande.

Pour l'Angleterre, les Actes de navigation constituèrent une excellente affaire. De 1660 à 1688, la flotte de commerce doubla et la Grande-Bretagne prit la tête du trafic mondial, dépassant les Pays-Bas, qui avaient occupé cette position pendant un siècle. Les hommes d'affaires britanniques financèrent les plus beaux navires de l'époque. Ils payèrent des prix élevés. Pour toutes sortes de produits, ils surclassèrent les Hollandais en accordant des formes variées de crédit à leur clientèle étrangère. En vertu de cette législation commerciale, Londres devint le plus grand entrepôt européen. Pendant tout le XVIIIe siècle, l'Angleterre redistribua à d'autres pays les quatre cinquièmes du tabac acheté dans les colonies du Sud et les trois quarts du riz.

Les colonies profitèrent également des Actes de navigation. Les planteurs du Sud se virent reconnaître un monopole dans la vente de tabac à destination de la Grande-Bretagne. Ils bénéficiaient ainsi d'un marché assuré. Un autre avantage se traduisit par l'expansion rapide de l'industrie des constructions navales. Ayant épuisé ses forêts et ne disposant pas de ressources plus proches que la Baltique, l'Angleterre

L'entrepreneur anglais Thomas Coram pose près d'un globe terrestre qui symbolise ses activités des deux côtés de l'Atlantique. Il encouragea l'établissement de colons anglais, écossais, français et allemands, depuis la Nouvelle-Écosse jusqu'à la Géorgie. Il fit fortune en approvisionnant les Anglais de poix, goudron et chanvre.

fit appel à ses colonies pour se procurer un bois qui s'y trouvait en abondance. Des Anglais traversèrent même l'Atlantique pour étudier le problème. C'est ainsi que Thomas Coram, un négociant et un philanthrope de Londres, découvrit « une grande quantité de chêne d'excellente qualité » dans un village près de Taunton, dans le Massachusetts. De 1697 à 1702, il assura lui-même la surveillance d'un chantier de construction navale. « Si par malheur une interruption survenait dans la construction des navires en Nouvelle-Angleterre », écrivait un autre marchand londonien, Joshua Gee, « notre navigation disparaîtrait et celle des Pays-Bas retrouverait sa splendeur. »

Un grand nombre des bateaux construits dans ces chantiers étaient possédés ou armés par des colons. Les profits du commerce se trouvaient à l'origine de confortables fortunes. Lors du premier séjour de Randolph en Amérique, en 1676, trente marchands du Massachusetts possédaient des richesses qui atteignaient de 10 000 à 20 000 livres. On comptait parmi eux un négociant du nom de Philip English, dont l'énergie et le sens des affaires s'accompagnaient d'un profond dédain pour la politique commerciale de la métropole. Il offrait l'exemple parfait de ce que l'Angleterre pouvait craindre de la part de ses nationaux installés de l'autre côté de l'Atlantique.

Philip English ou plutôt Philippe L'Anglois était originaire de Jersey. On ne sait pas grand-chose de ses premières années. Un fait est sûr cependant : comme beaucoup des habitants des îles Anglo-Normandes, il navigua de bonne heure. En 1660, il était propriétaire de son propre navire. Peu avant 1670, il débarqua au Nouveau Monde, s'établit à Salem dans le Massachusetts et anglicisa son nom. Mais il conserva des liens étroits avec l'Ancien Monde, comme si l'Atlantique n'était qu'une Manche un peu élargie. Ces liens se trouvèrent à l'origine de son succès. Disposant d'un ketch, un deux-mâts, avec des voiles carrées à l'artimon et une voile latine au grand mât, il manifestait le plus bel éclectisme en matière de cargaison et de destination et se moquait éperdument des Actes de navigation.

Il y avait tout d'abord le poisson. « Le poisson », écrivait un des premiers membres de la colonie de la baie du Massachusetts, « constitue la base des échanges du pays ; il permet d'obtenir tout ce dont nous avons besoin. » Un pêcheur de Marblehead, contemporain de Philip English, affirmait avec force que ses « ancêtres n'étaient pas venus pour des raisons religieuses, mais dans le but de prendre du poisson ». English achetait le poisson aux pêcheurs qui fréquentaient les eaux côtières. Il le transportait dans les colonies du Sud, avec du rhum, du cidre, des bols de bois, des seaux, des écuelles, des tonneaux, et tous les autres produits fabriqués en Nouvelle-Angleterre. En échange, il revenait avec des céréales, des salaisons et du tabac. Il se risquait aussi du côté des Antilles pour acheter du sucre et de la mélasse, indispensables à la fabrication du rhum, et il traversait l'Atlantique à destination de Saint-Malo, Nantes, La Rochelle et Bordeaux, où il échangeait les produits du Nouveau Monde contre du vinaigre, du lin, de la soie, des bas, des vêtements, et tous les produits européens.

Pour donner à ses affaires une dimension encore plus internationale, cet armateur négociant de Salem, à l'esprit fertile, finançait ses activités avec des capitaux étrangers. En 1667, par exemple, il signa un contrat à Saint-Malo avec le représentant d'un certain Sire Moïse Coubel. Pour la somme de 208 livres avancée par Coubel, English ac-

Dans une baie abritée de Terre-Neuve, des pêcheurs du XVIIIe siècle traitent et font sécher à terre les morues pêchées sur le Grand Banc. Au début du siècle, près de 35 000 marins anglais et français effectuaient des campagnes annuelles sur les côtes de l'Amérique du Nord, mais se heurtaient à la concurrence des colons, qui voulaient une part de cette moisson.

cepta un trafic pour le moins compliqué. Il irait d'abord de Saint-Malo à Boston; il gagnerait ensuite Bilbao, Bordeaux, puis les ports anglais, avant de revenir à Saint-Malo, où Coubel récolterait 30 p. cent de sa mise. Néanmoins, English comptait réaliser un confortable bénéfice.

Il effectua de nombreuses opérations de ce genre et gagna énormément d'argent. En 1692, il possédait 21 navires, un appontement et 14 maisons à Salem. L'une d'elles, située sur Essex Street, se faisait remarquer par des porches en forme de proue et deux étages surplombant la rue. On en parlait avec respect comme de la « grande maison d'English ». Cette année-là, cependant, ses affaires connurent des difficultés, non pas à cause de ses entorses à l'égard de la législation commerciale, mais en raison d'une psychose liée à la chasse aux sorcières. La crise débuta au mois de février, quand plusieurs jeunes filles de Salem, dont la nièce et la fille du pasteur, manifestèrent un comportement étrange, se roulant par terre et poussant des hurlements. Les médecins durent avouer leur impuissance. Il n'en fut pas de même de Cotton Mather, un pasteur puritain, qui se prétendait expert en sorcellerie. « Une abominable armée de démons s'est abattue sur Salem, affirma-t-il, et les maisons des gens honorables sont remplies des lamentations de leurs enfants et de leurs domestiques, torturés par des mains invisibles, en proie à des souffrances surnaturelles. »

Tout comme des centaines d'autres personnes, la femme de Philip

English fut accusée de sorcellerie et arrêtée. Pendant six semaines, elle fut incarcérée dans une pièce de la maison commune en attendant son procès ; English fut inculpé à son tour. Avec l'aide de quelques amis, le couple réussit à gagner New York. Ils y restèrent près d'un an, jusqu'à ce que l'exaltation soit tombée, et purent alors retourner à Salem. Une fête fut célébrée en leur honneur, et English reprit la tête de son empire commercial, jusqu'à sa mort en 1736.

Il conserva jusqu'à la fin la plus grande liberté d'action. On peut le constater dans les instructions qu'il adressait à l'un de ses capitaines, en partance pour les Antilles avec une cargaison de poisson. « Revenez à Salem avec votre navire ou un autre de la manière qui paraîtra la plus convenable à Dieu, et si vous voyez l'occasion de prendre une cargaison pour une destination quelconque..., je vous laisse entièrement libre pour agir au mieux de mes intérêts. Qu'il plaise à Dieu de vous accorder un voyage favorable. Je reste votre ami et votre armateur. »

Les activités commerciales de Philip English se faisaient surtout remarquer par leur ampleur. En fait, la plupart des négociants de la Nouvelle-Angleterre obéissaient à la même philosophie des affaires : variété des produits, diversité des destinations, refus d'appliquer la législation commerciale du Parlement. Un jour viendrait où la conception américaine du grand commerce ne trouverait de solution que dans une révolution. Mais il s'agissait là d'une perspective lointaine. Pendant une bonne partie du XVIIe et du XVIIIe siècle, le conflit entre Américains et Anglais resterait dans la limite des affrontements classiques entre adolescents et parents. En agissant dans le cadre de ses intérêts, le jeune Yankee Doodle allait jouer bien des tours au vieux John Bull et lui enlever une part de ses revenus.

Aucun représentant du roi n'exaspérait davantage les colons que l'individu qui se trouvait dans l'embarcation. Edward Randolph incarnait un des êtres les plus détestés, le receveur d'impôts. Les Américains le haïssaient d'autant plus qu'il n'était pas originaire du pays.

Randolph semblait être né pour naviguer à contre-courant. Il était originaire d'une famille rurale dont certains membres possédaient des fermes aux environs de Canterbury. Son père, cadet de famille, était cependant médecin. En vertu de la règle du droit d'aînesse, il s'était trouvé privé d'héritage. Toute sa vie, Randolph manifesta l'activité débordante d'un homme déshérité et son comportement envers les colons obéissait à des réactions personnelles. Mais l'ostracisme qui pesait sur lui tenait au fait qu'il était Anglais.

A dix-huit ans, il s'inscrivit à Gray Inn, l'une des quatre anciennes écoles de droit anglaises. Il y resta moins d'un an et ne plaida jamais. Mais, de son passage à Gray Inn, il conserva une vision étroitement juridique des choses, dont il ne se départit jamais. Au début de sa carrière, il déploya toute son énergie à l'instruction d'interminables procès concernant des affaires de bétail, de droits de pacage et de paiements de fermages. Et c'est dans le cadre d'une affaire juridique qu'il effectua sa première traversée de l'Atlantique en 1676 pour le compte d'un cousin, Robert Mason, désireux de faire valoir ses droits sur des terrains du New Hampshire. A cette occasion, les Lords of Trade demandèrent à Randolph de mener une enquête sur la puissance militaire et économique des colonies.

Les Lords avaient trouvé en lui le fonctionnaire modèle, le bureau-

Un vieillard proteste en vain de son innocence lors d'un procès lié à l'affaire des sorcières de Salem en 1692. Parmi les accusés figurait l'armateur Philip English, qui s'enfuit à New York. Vingt personnes furent exécutées.

crate type. Seul un homme qui manifestait un respect religieux pour toute forme de règlement était en mesure d'assurer le contrôle du commerce des colonies. C'est en fin de compte la mission qui fut confiée à Randolph. Il ne se trouvait pas depuis un mois en Amérique qu'il en arrivait à la conviction que l'esprit et la lettre des Actes de navigation se trouvaient violés à un tel point que « le préjudice concernant les douanes de Sa Majesté dépassait 100 000 livres par an ». A la fin de son séjour, Randolph avait rédigé un rapport de 25 pages sur l'état des affaires en Nouvelle-Angleterre, qu'il remit à la commission du Parlement pour le commerce et les plantations.

Ce rapport entraîna une série de débats au Parlement. Les Lords of Trade estimèrent que l'Angleterre pouvait tenir les colons en échec en annulant la charte de la colonie de la baie du Massachusetts. Cette charte permettait aux colons d'élire leur gouverneur et de légiférer dans plusieurs domaines sans en référer à la Couronne. Randolph soutenait que le gouverneur devrait être nommé par le roi lui-même et les lois soumises à l'approbation de Londres.

La charte ne fut pas modifiée. Mais Randolph repartit pour Boston en 1680, porteur d'une commission royale le chargeant de rechercher, de contrôler et de percevoir les droits de douane pour toute la Nouvelle-Angleterre. C'est d'ailleurs sans surprise qu'il constata l'impopularité, voire la haine dont il était l'objet. « J'ai été accueilli à Boston beaucoup plus comme un espion que comme un serviteur de Sa Majesté », écrivait-il. De fait, un poète de Boston avait rédigé un poulet à son intention:

Bienvenue, Monsieur, bienvenue sur la côte Est.
Avec une commission plus draconienne encore que jadis
Pour jouer les sangsues, nous tondre,
Pressurer nos terres, nous mettre en pièces :
Randolph est de retour, cet Hector
Confirmé par la métropole en tant que receveur retors.

Indifférent à cet accueil, Randolph se mit aussitôt au travail et décida de s'attaquer à l'*Expectation*. Au cours des trois années suivantes, il saisit 36 autres bateaux, entamant des poursuites contre leurs commandants pour diverses violations aux Actes de navigation. Mais il ne pouvait influencer les cours de justice, sous la coupe des négociants. Ainsi tous les commandants, à l'exception de deux, furent acquittés. Randolph frôla la crise d'apoplexie. Mais il semble n'avoir jamais envisagé de renoncer à sa mission. A plusieurs reprises, il effectua la traversée de l'Atlantique, faisant le siège des bureaux de Whitehall, avec l'espoir d'être promu à un échelon supérieur. Il cherchait également à obtenir des gouverneurs des colonies un pouvoir accru.

En 1685, ses espoirs se réalisèrent enfin. Le Parlement, qui ne dissimulait plus son exaspération à l'égard des colons, annula la charte de la Nouvelle-Angleterre. Quant à Randolph il reçut la charge de contrôleur fiscal du nouveau dominion de Nouvelle-Angleterre, qui serait étroitement surveillé depuis Londres. Le gouvernement permettait encore aux colons d'élire leur gouverneur, mais ce choix serait soumis à l'approbation royale. La milice servirait sous les ordres d'officiers de la Couronne. Le roi serait propriétaire de toutes les terres et les colons devraient verser une redevance. Ces dispositions provoquèrent naturellement un profond malaise dans les colonies. « A partir de ce lundi, nous entrâmes en agonie », devait dire le Bostonien Samuel Sewall.

Deux semaines seulement après l'établissement du dominion, Randolph signala à Londres que trois navires avaient été condamnés pour contrebande. L'affaire semblait indiquer un renforcement des Actes de navigation. En fait, Randolph se trouvait alors pris au piège de son propre système. Sa politique draconienne entraînait un effet néfaste sur la prospérité des colonies. A présent que les inspecteurs des douanes se livraient à une visite minutieuse de tous les navires arrivant dans les ports américains, la Nouvelle-Angleterre ne pouvait plus importer les produits qu'elle faisait venir jusque-là de la métropole. Avec la réduction du volume des échanges, l'économie s'affaiblissait et les colons se trouvaient dans l'incapacité d'importer depuis l'Angleterre. Un conseiller du roi faisait remarquer qu'un des règlements qui interdisaient la pêche au large de la Nouvelle-Écosse française avait provoqué une crise dans cette industrie. « Les lourdes taxes sur le sucre et le tabac », ajoutait-il, « ont profondément affecté les colonies du Sud... Ce pays est pauvre, la stricte application de la législation commerciale a encore contribué à l'appauvrir. »

En 1689, la couronne d'Angleterre échut à Guillaume d'Orange, qui avait incarné la résistance des Pays-Bas contre l'Espagne. Les colons américains crurent que le nouveau souverain ferait preuve de compréhension à l'égard de leurs doléances et ils se révoltèrent. La populace s'empara du gouverneur et de Randolph et les jeta en prison. Dans une lettre aux siens, Randolph donna, non sans humour, sa nouvelle adresse : « La prison de la Nouvelle-Alger. »

Le traitement du tabac

Gravures extraites d'un ouvrage sur la culture du tabac publié en 1800 et montrant le conditionnement des feuilles.

Au début du XVIIe siècle, la plupart des marchandises transportées à travers l'Atlantique n'étaient pas susceptibles de se dégrader au cours d'une traversée de 5 000 kilomètres. Mais il y avait cependant une exception, le tabac, exporté à partir de 1613 depuis Jamestown. Des chocs répétés pouvaient casser les feuilles et entraîner une perte de valeur à l'arrivée en Angleterre. Plus grave, le tabac pouvait moisir dans les cales.

En quelques dizaines d'années, les colons parvinrent à mettre au point des méthodes de conservation et de conditionnement qui diminuèrent les pertes considérablement. Les différents stades de cette préparation, représentés sur la page de gauche, subirent peu de modifications pendant près de 200 ans.

Pour réduire le risque de pourriture, le tabac était séché en plusieurs étapes. Juste après la récolte, les plants étaient suspendus à des barrières *(1)*, et exposés rapidement au soleil. Puis ils étaient accrochés à l'intérieur de «maisons du tabac» *(2)* pendant un mois, jusqu'à ce qu'ils aient perdu une partie de leur humidité sans pour autant être cassants.

Au cours de la première phase du conditionnement, les feuilles étaient séparées des plants et mises en paquets ou «mains» *(3)*. Ces paquets étaient ensuite soigneusement disposés les uns au-dessus des autres dans des tonneaux de bois, chaque couche tassée sur la précédente au moyen d'un levier *(4)*. Ce procédé, qui réduisait notablement le volume du tabac, transformait celui-ci en une masse compacte très résistante.

Une fois remplis, les fûts étaient dirigés vers des entrepôts publics *(5)* jusqu'à ce qu'ils subissent une vérification *(6)*. Le tabac de mauvaise qualité était brûlé; celui qui répondait aux normes de l'inspection prenait la direction du port.

Les colons avaient mis au point des systèmes ingénieux pour déplacer les fûts. Si la destination pouvait être atteinte par voie d'eau, les tonneaux étaient chargés sur deux pirogues attachées côte à côte *(7)*. Sinon, les fûts étaient placés sur des chariots ou basculés et munis d'un brancard, et tirés par des chevaux, *(8)* ils contribuaient en roulant à aplanir les mauvaises pistes des «routes du tabac». Une fois au port, le tabac était vendu à un représentant d'un négociant anglais qui se chargeait de l'expédition.

Cette préparation minutieuse donnait aux marchands une garantie de qualité. En échange, ils assuraient les planteurs du Sud d'écouler leur production. Vers 1775, la Virginie et le Maryland retiraient 75 p. cent des taxes d'exportation de la seule vente des «feuilles d'or».

Cette gravure sur bois représente l'herbe à Nicot et un cigare constitué de feuilles roulées. Originaire d'Amérique du Sud, le tabac fut introduit en Europe par les Espagnols. En 1612, un colon, John Rolfe, apporta des graines en Virginie, dont le sol et le climat se révélèrent favorables à la culture de cette plante.

Alors que les marchands se détendent, des esclaves embarquent des fûts de tabac sur un navire en partance pour l'Angleterre.

Contrairement à toute attente, Guillaume III ne rétablit pas l'ancienne charte. Il ordonna aux colons de relâcher le gouverneur et Randolph. Après huit mois d'incarcération, ce dernier quitta le Massachusetts sur un navire de commerce. Avant le départ, il signa un billet de quatre livres un shilling, la note de ses repas en prison.

La Nouvelle-Angleterre se trouva ainsi libérée du zèle de Randolph, mais il n'en allait pas de même pour les autres colonies. En 1692, notre homme retraversa l'Atlantique, à destination cette fois de James City, la capitale de la Virginie. Il devait en inspecter les activités commerciales et étendre son enquête au Maryland et à la Pennsylvanie. Il y trouva un genre de vie et des pratiques commerciales différentes, mais un style d'affaire qui ne lui convenait pas davantage.

Contrairement aux colons du Nord, les Virginiens ne se livraient à aucune activité maritime. Cette lacune tenait à la stratégie des marchands anglais, qui envoyaient sur place leurs agents pour se procurer

Un chef-d'œuvre de la construction navale américaine

For LIVERPOOL,

(To ſail in a Month)

THE Ship BRILLIANT, WILLIAM PRIESTMAN Maſter; can take in 200 Hogſheads of Tobacco on Freight, with Liberty of Conſignment. For Terms apply to JOHN LAURENCE, & Co.

☞ Who have alſo FOR CHARTER, a SHIP of 400 Hogſheads, and a BRIG of 8000 Buſhels Burthen.

NORFOLK, *June* 6, 1775.

A en juger par les apparences, l'appellation *Brilliant* ne semblait guère convenir à ce petit navire sans prétention qui effectua son voyage inaugural en 1775, comme le souligne l'annonce reproduite ci-dessus. Large et courtaud, il était bien de la même lignée que ces centaines de navires qui effectuèrent des transports de marchandises entre l'Amérique et l'Angleterre au XVIIIe siècle. Le *Brilliant* se trouvait cependant à la pointe de l'architecture navale et annonçait les débuts de la grande industrie des constructions dans les colonies d'Amérique.

Dès leur établissement sur la côte est, les colons commencèrent à construire des bateaux, heureusement aidés par l'environnement qui répondait à leurs exigences. Le bois se trouvait en abondance et d'excellente qualité, et la voie par eau constituait le meilleur moyen pour relier entre eux les premiers établissements. En 1676, près de 730 bateaux avaient déjà été construits rien qu'au Massachusetts et la plupart lancés dans des chantiers s'étendant sur le littoral, depuis Kennebec River, dans le Maine, jusqu'à la baie de la Chesapeake, en Virginie.

Ces premiers bateaux étaient en fait de modestes pinasses et des embarcations destinées au cabotage. Mais les importations croissantes de l'Angleterre à l'égard des produits du Nouveau Monde créèrent une demande de plus en plus forte de navires de haute mer. Au début du XVIIIe siècle, plusieurs bâtiments en service aux colonies atteignaient 350 tonnes. Le plus gros pouvait emporter 13 000 boisseaux de blé ou 700 tonneaux de tabac. Les bateaux ne tardèrent pas à constituer à leur tour un produit d'exportation. En 1760, un tiers du tonnage battant pavillon britannique avait été construit dans les colonies.

Parmi ces bâtiments figurait le *Brilliant*, un transporteur de tabac dont l'existence aurait cependant dû être compromise par deux événements absolument étrangers à sa construction. Au moment où il embarquait sa première cargaison à Norfolk, au cours de l'été 1775, le mouvement qui devait conduire à l'Indépendance se trouvait déjà amorcé en Nouvelle-Angleterre, et les dirigeants de la Virginie, laissant planer la menace de se joindre à la rébellion, avaient décidé de procéder à l'embargo du tabac à destination de la Grande-Bretagne à partir de septembre. Le *Brilliant* fit ainsi partie d'un très important convoi formé à la hâte, qui transporta à destination de la métropole le dernier chargement de tabac, au total près de 100 millions de livres.

Cette crise mit fin à sa carrière de transporteur de tabac. En Angleterre, l'Amirauté le racheta et le convertit en navire de combat. Pendant quinze ans, il sillonna l'Atlantique nord sous pavillon britannique.

La guerre d'Indépendance avait décimé la flotte marchande américaine. Les constructeurs ne demandaient qu'à reprendre leur activité, ce qui allait conduire au développement d'une imposante flotte au siècle suivant.

le tabac. La Couronne jouait d'ailleurs un rôle déterminant dans l'opération en prêtant de l'argent aux planteurs et en contrôlant la passe étroite de la baie de la Chesapeake pour tenir à l'écart les bateaux étrangers. Les navires de guerre britanniques assuraient encore la protection des bâtiments de commerce chargés de tabac.

Le seul souci du planteur se limitait à la croissance du tabac. Il s'agissait en fait d'un simple contrôle; un engagé pouvait à lui seul s'occuper de 10 000 plants, depuis les semailles jusqu'à la récolte. Il fallait ensuite en assurer le transport à destination des magasins situés sur les rivières conduisant à la baie de la Chesapeake. Si le planteur vivait au bord d'un cours d'eau — et c'était la règle au début de la colonisation —, le transport s'effectuait au moyen de chalands. Si, au fil du temps et en raison de la prospérité, ses terres s'étaient étendues dans l'intérieur, il acheminait les feuilles de tabac au moyen d'un procédé ingénieux: les énormes fûts contenant le tabac étaient équipés d'un

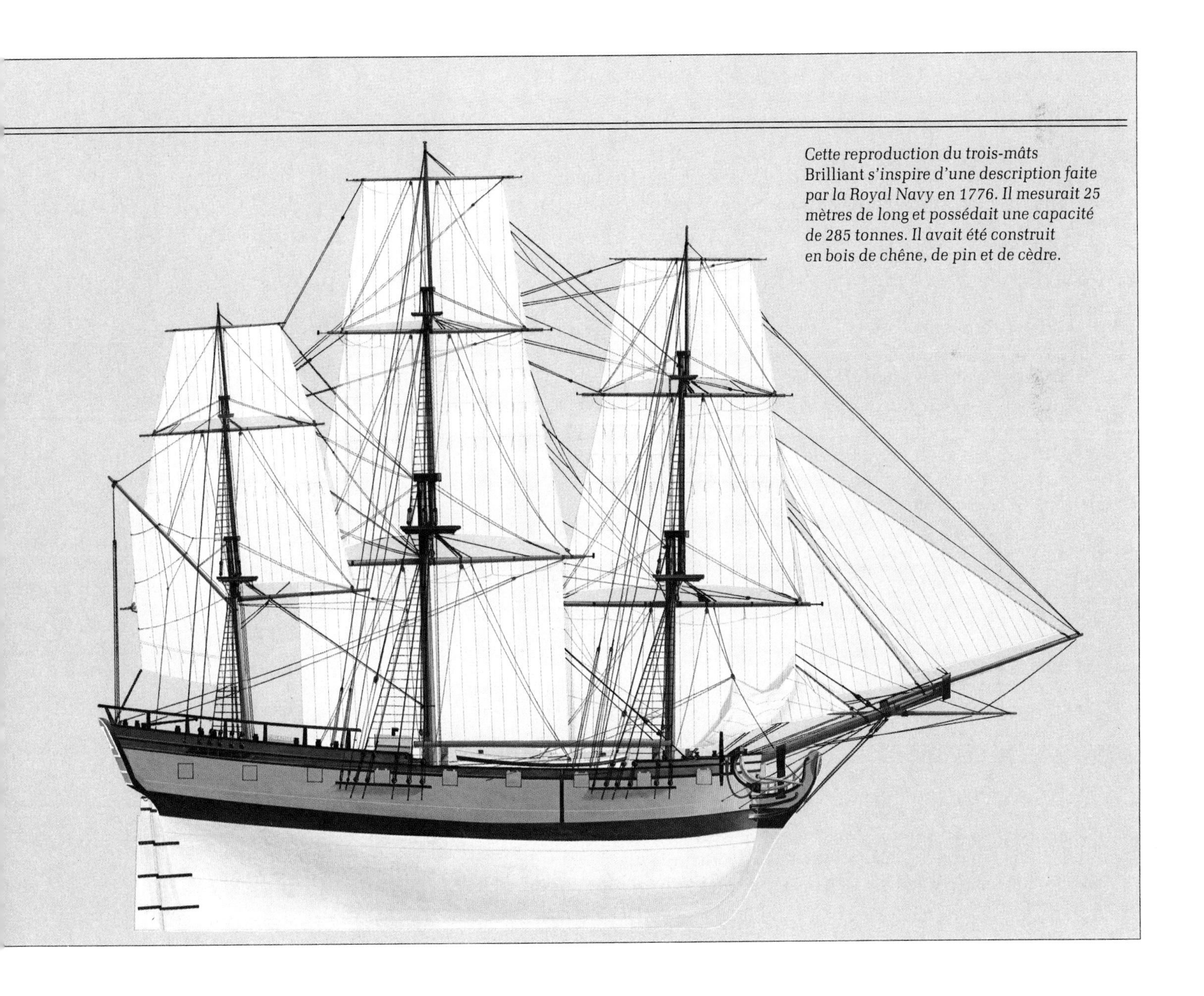

Cette reproduction du trois-mâts Brilliant *s'inspire d'une description faite par la Royal Navy en 1776. Il mesurait 25 mètres de long et possédait une capacité de 285 tonnes. Il avait été construit en bois de chêne, de pin et de cèdre.*

essieu et tirés à travers les douces collines de Virginie par des attelages de bœufs ou des chevaux. Dans les magasins, les agents anglais achetaient des chargements entiers et les dirigeaient sur les navires mouillés dans la baie. Avec ses bénéfices, le planteur achetait les produits fabriqués les plus variés, depuis des perruques jusqu'à des clavecins.

Les colonies du Sud fournissaient également les approvisionnements demandés par les chantiers britanniques: de la poix, du goudron, de la résine et de l'essence de térébenthine fournie par les forêts. Une autre source de profit apparut à la fin du XVIIe siècle avec le riz, une céréale qui convenait particulièrement bien aux terrains marécageux du Sud. Un peu plus tard, ce fut encore une nouvelle plante, l'indigo, un colorant très demandé par les négociants anglais en raison du développement rapide de l'industrie textile. Tous ces produits, comme le tabac et les munitions navales, comblaient les vœux des marchands britanniques. Même si les colons du Sud abandonnaient à d'autres la navigation maritime, ils affichaient cependant une remarquable habileté dans l'art de tourner les Actes de navigation. Le jour où Randolph surveilla pour la première fois la flotte du tabac, au moment où elle embarquait la récolte venue de toutes les rivières et anses de la Chesapeake et se concentrait à Old Point Comfort, il ne compta pas moins de cent vingt voiles. En fait, la Couronne aurait dû recueillir des revenus importants d'un tel volume d'exportations. Mais Edward Randolph ne tarda pas à découvrir la négligence des agents des douanes qui oubliaient, comme par hasard, de percevoir les taxes dès lors qu'ils recevaient de confortables pots-de-vin.

Randolph adressa alors un nouveau rapport à Londres, « un mémoire montrant par différents faits qu'un trafic illégal se trouve encouragé en Virginie, au Maryland et en Pennsylvanie ». De toute évidence, 50 000 livres de droits étaient perdues chaque année en Virginie seulement. Mais Randolph ne réussit pas mieux à faire appliquer la réglementation dans cette colonie qu'il ne l'avait fait au Massachusetts.

L'infatigable receveur partit pour la dernière fois à destination des colonies au cours de l'été 1702. Il avait alors 70 ans. Toujours aussi intransigeant, il ordonna la saisie du bateau sur lequel il avait effectué la traversée, pour une banale infraction à la législation maritime. Une fois de plus, il se trouva désavoué par le tribunal. Quelques mois après avoir atteint le Maryland, il mourut. Il ne laissait, en tout et pour tout, en argent liquide que deux livres et onze shillings. Sa fortune se limitait en fait à quelques vêtements usagés: une vieille robe de chambre de soie, un costume noir, deux chapeaux, une paire de bas...

L'existence de Randolph fut en fin de compte d'une magnifique inutilité. Un être exaspérant, le surveillant inlassablement comique des réunions de marchands, il se révéla, à la fin de sa carrière, aussi incapable de surveiller les allées et venues des armateurs que de contrôler la mer elle-même. Il avait voulu jouer le rôle d'un brise-lames que les commerçants yankees avaient fini par démanteler.

Au moment de la mort de Randolph, le trafic des passagers sur l'Atlantique à destination de l'Amérique occupait le premier rang dans le monde. Les émigrants qui acceptaient les risques d'une traversée redoutée étaient des Anglais, mais aussi des Irlandais de l'Ulster, des Écossais, des Gallois, des Allemands en grand nombre, venus de Rhénanie, des Hollandais, des Suisses, des Suédois, des Juifs issus des

Ces étiquettes imprimées par les marchands de Londres au milieu du XVIIIe *siècle vantent le tabac* Best Virginia. *Constatant que nombre de tavernes ne recevaient que des fumeurs, un critique se demandait « ce qui amenait les gens à abandonner le coin de leur feu pour se trouver au milieu d'un nuage de fumée et en pleine puanteur ».*

quatre coins de l'Europe et des esclaves noirs d'Afrique occidentale. Vers 1700, la population des colonies se situait aux alentours de 250 000 habitants. Pendant la seconde moitié du XVIIIe siècle, l'émigration, associée à la croissance naturelle, allait la porter à plus de 2 millions. Vers 1774, Boston comptait 20 000 habitants, New York 30 000 et Philadelphie 40 000. Dès 1690, Boston pouvait déjà prétendre au rang de troisième port du monde, après Londres et Bristol.

De tous ceux qui tentaient de refaire leur vie en Amérique, seuls réussissaient vraiment les individus doués pour le commerce. Un marchand, selon la définition de Samuel Johnson, au XVIIIe siècle, était un « homme dont le trafic repose sur les pays éloignés ». En Amérique, les marchands étaient en outre à la fois les grossistes et les détaillants des produits qu'ils importaient. Ils investissaient dans les scieries et les moulins, les brasseries et les distilleries, les fonderies, dans l'immobilier, les chantiers et les installations portuaires. Ils étaient les employeurs les plus importants et jouaient le rôle de prêteurs. Pour conserver le contrôle de la circulation monétaire, les Anglais avaient interdit la création de banques en Amérique. Les négociants devinrent cependant banquiers par le biais des lettres de change et des billets gagés sur leurs marchandises. Ils devinrent aussi courtiers dans le cadre d'une activité embryonnaire — les assurances. En échange d'une prime, ils garantissaient aux clients l'équivalent du produit de la vente de la marchandise, même si celle-ci n'arrivait pas à bon port.

Les menaces concernant le commerce maritime étaient pourtant plus grandes que jamais. A la fin du XVIIe siècle et au début du XVIIIe siècle, des pirates opéraient sur toutes les côtes des colonies, explorant les anses et les baies, se risquant au large pour s'emparer d'un navire de commerce dès qu'il apparaissait à l'horizon. Ils en vendaient la cargaison dans le port le plus proche et se partageaient le profit. Certains, comme le capitaine William Kidd ou Edward Teach, dit Barbe Noire, connaissaient une grande célébrité parmi les colons. A l'occasion, ils déambulaient en toute impunité dans les rues de Boston, New York et Charleston, dilapidant leur or. Mais, les Anglais intervenaient parfois avec leur navires de guerre et les faisaient pendre.

La course, une forme légale de la piraterie, constituait en réalité la menace la plus fréquente et celle qui devait survivre le plus longtemps. En fait, peu de chose distinguait les pirates des corsaires, le plus souvent des capitaines de bateaux de commerce autorisés en temps de guerre par la Couronne à s'emparer des navires des pays ennemis ou des bâtiments navigant pour le compte de l'adversaire ou commerçant avec lui. Cette autorisation, appelée lettre de marque, obligeait le capitaine à remettre le navire capturé, à verser un pourcentage de la valeur de la cargaison à son gouvernement, avant de partager le reste entre lui-même, les officiers, l'équipage et l'armateur.

De 1652 à 1763, l'Angleterre se trouva engagée dans sept guerres successives contre les Pays-Bas, la France et l'Espagne. Pendant tous ces conflits, les bateaux des colonies se trouvaient à la merci des adversaires de l'Angleterre. Mais le jeu devenait bien équilibré si un commandant de bâtiment américain s'orientait vers la course. Mieux même, celui-ci pouvait espérer un profit plus important qu'en pratiquant le commerce habituel. On ne peut donc s'étonner du développement de cette piraterie légalisée. C'est ainsi qu'en septembre 1744 le *Weekly Post-Boy* de Boston faisait remarquer: « On peut estimer

La fondation de New Ebenezer

Au cours du XVIIIe siècle, près de 200 000 Allemands quittèrent leur pays à destination de l'Amérique, en passant par l'Angleterre, plutôt que d'assister à la victoire du catholicisme en Allemagne. Un bon nombre d'entre eux s'installèrent dans la colonie de Géorgie, fondée en 1732 par des philanthropes anglais pour servir de refuge à des déshérités de toute sorte.

On ne sait pas grand-chose de leurs premières difficultés pour s'établir dans un pays encore sauvage. Une exception cependant: Philip Georg Friedrich von Reck, un jeune noble qui enrôlait des protestants pour la colonie, devait trouver le temps de laisser la trace de son action, sous forme d'écrits et de dessins inspirés par un goût de l'aventure.

En 1734 et en 1736, von Reck accompagna des groupes d'Allemands à travers l'Atlantique, à bord de navires anglais, jusqu'au voisinage de la ville actuelle de Savannah. C'est là que ces émigrants fondèrent un établissement, baptisé Ebenezer, « le rocher de la vie ». Deux années plus tard, ils déplacèrent leur installation en amont de la Savannah et la nommèrent « New Ebenezer ».

New Ebenezer prospéra et réussit à exporter de grosses quantités de riz, d'indigo et de chanvre. Mais les divisions nées de la guerre d'Indépendance frappèrent mortellement la colonie. De nombreux colons, reconnaissants à l'égard de l'Angleterre, préférèrent donner des informations sur leurs voisins plutôt que de combattre pour l'Indépendance. Beaucoup d'entre eux quittèrent le pays afin de s'établir ailleurs.

A la fin de la guerre, New Ebenezer n'était plus qu'une ville-fantôme. Des espoirs du début ne subsistaient plus que les croquis de von Reck.

Von Reck lui-même n'était d'ailleurs resté en Géorgie qu'un an à peine. Il partit au Danemark, où il servit comme fonctionnaire jusqu'à 82 ans. Son travail avait été publié sans les dessins, qui demeurèrent inconnus jusqu'à ce qu'ils fussent retrouvés en 1976 dans la Bibliothèque royale de Copenhague.

Le vaisseau London Merchant s'apprête à doubler l'île de Wight (1) alors qu'il suit le Symonds par un étroit chenal entre le groupe de rochers des Needles (2) et des hauts-fonds (3). Les deux bateaux transportaient 257 colons à destination de la Géorgie. Sur place, chaque famille recevait une petite maison avec un jardin et 50 acres de terre (20 hectares).

En haut de ce dessin, une légende rédigée en allemand précise qu'il s'agit « des premiers abris et huttes de Ebenezer ». Les colons, dont beaucoup portent le chapeau traditionnel à large bord de leur pays, ont défriché les abords de la rivière et construisent deux grands bâtiments publics.

Des barques chargées de ravitaillement accostent à New Ebenezer, sur la Savannah, second établissement des colons allemands. Plutôt que de repartir à zéro, ils démontèrent leurs maisons et les transportèrent sur le nouveau site, à huit kilomètres en amont.

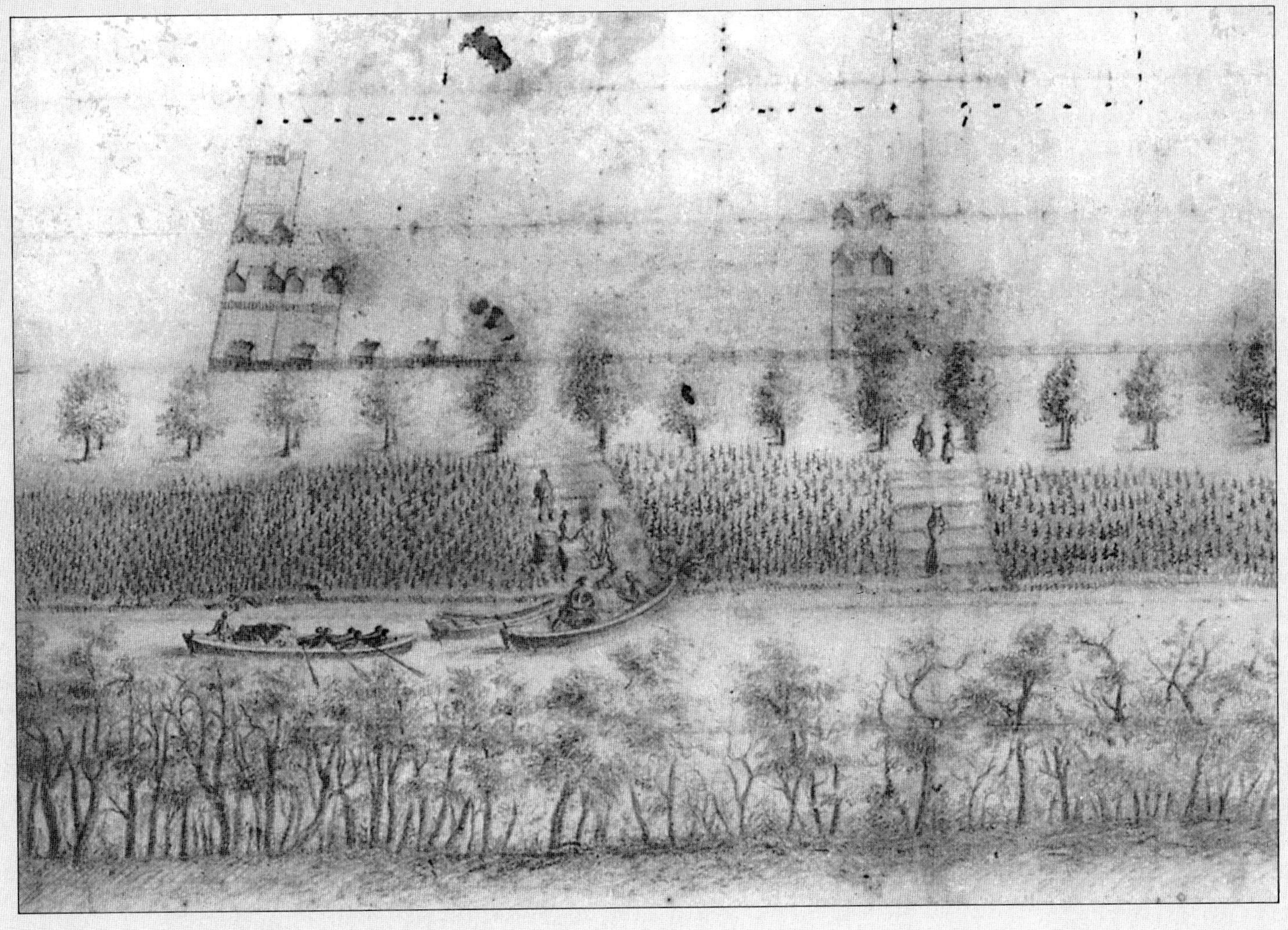

Le fruit de la passion exerçait une véritable fascination sur von Reck. Sa description s'inspirait d'un ouvrage de botanique français.

La courge était cultivée dans de nombreux jardins de New Ebenezer.

Von Reck considérait la pastèque comme « le meilleur des melons ».

La papaye calmait les douleurs d'estomac.

Les écureuils volants, un des mets favoris de New Ebenezer, se laissaient prendre facilement.

qu'avant l'hiver il y aura 130 corsaires à la mer, pour la plupart des bâtiments solides et bien armés. Une réelle force navale, soit une puissance égale à celle de la Grande-Bretagne à l'époque de la reine Élisabeth. » Au cours de la guerre de Sept Ans, on estime à 11 000 le nombre d'Américains embarqués sur des navires de course.

Le plus souvent, il s'agissait de bâtiments de 200 tonnes portant 18 canons environ, d'un calibre comparable aux « six-livres » des navires de guerre. L'équipage atteignait une centaine d'hommes. Certains étaient de simples matelots, pour la plupart des aventuriers enrôlés en raison de leur aptitude au combat. Tous disposaient de pistolets, de fusils, de sabres et de grenades à main.

Un corsaire commençait par suivre un convoi à distance respectueuse jusqu'à ce que ses bâtiments se dispersent sous l'effet d'une tempête ou de la brume. Les navires de guerre chargés de l'escorte se livraient rarement à une poursuite. La vitesse et la précision du tir des corsaires rendaient cet exercice trop dangereux. En 1746, un corsaire américain d'une taille exceptionnelle, atteignant 380 tonnes, le *Prince Charles,* affronta le *Rising Sun,* un bâtiment français également important et bien armé, qui s'était écarté du convoi. Le commandant du *Prince Charles* déguisa ses hommes en leur donnant des coiffures de grenadiers. Aussi le *Rising Sun,* se croyant en présence d'un navire de guerre, ne tarda pas à amener son pavillon. Grâce à ce subterfuge, le *Prince Charles* s'empara de 1 117 pains de sucre et de 458 caisses de café. Un simple matelot, dont la solde ne dépassait pas deux livres par mois, reçut ainsi plus de 100 livres de part de prise.

Parfois, la course s'accompagnait d'actes de courtoisie. En 1745, un corsaire de New York, le *Clinton,* arriva à son port d'attache avec une prise modeste, une goélette espagnole de 180 tonnes et 14 canons, la *Pamona,* qui transportait 88 caisses de sucre, 237 d'indigo et 15 balles de coton. Le capitaine de la *Pamona* fut tellement surpris de voir que ses adversaires n'avaient pas dépouillé ses hommes qu'il les régala d'un bœuf entier cuit à la broche.

Les engagements pouvaient cependant être violents et meurtriers. En janvier 1758, le corsaire américain *Thruloe,* portant 84 hommes et 14 canons, livra une bataille bord à bord contre le corsaire français *Les Deux-Amis* avec 98 hommes et 10 canons. On rapporte qu'il ne fallut pas moins « de 300 poires à poudre et de 72 pots à feu », lancés sur le pont du navire français, pour l'amener à se rendre. 37 Américains et 80 Français furent tués ou grièvement blessés.

Il fallait de l'imagination et de l'audace pour se lancer dans le commerce à travers l'Atlantique, où les aléas ne manquaient pas. Mais, pour ceux qui tentaient l'aventure et réussissaient, les avantages abondaient. L'argent apportait la puissance, le courage, la considération.

Au XVIIIe siècle, la réussite de Thomas Hancock, le fondateur d'une grande famille de marchands, était particulièrement notoire. Fils d'un pasteur puritain, Hancock grandit dans la petite ville de Lexington, au Massachusetts. En 1717, âgé de 14 ans, il partit de lui-même pour Boston et se fit engager comme commis chez un libraire. Sept ans plus tard, il se lançait à son tour dans le commerce du livre. Bientôt, il ne tarda pas à reléguer les livres sur les rayons et remplit son magasin de marchandises anglaises allant des vêtements à la coutellerie. Pour financer ces achats, il se mit à la recherche de produits à exporter.

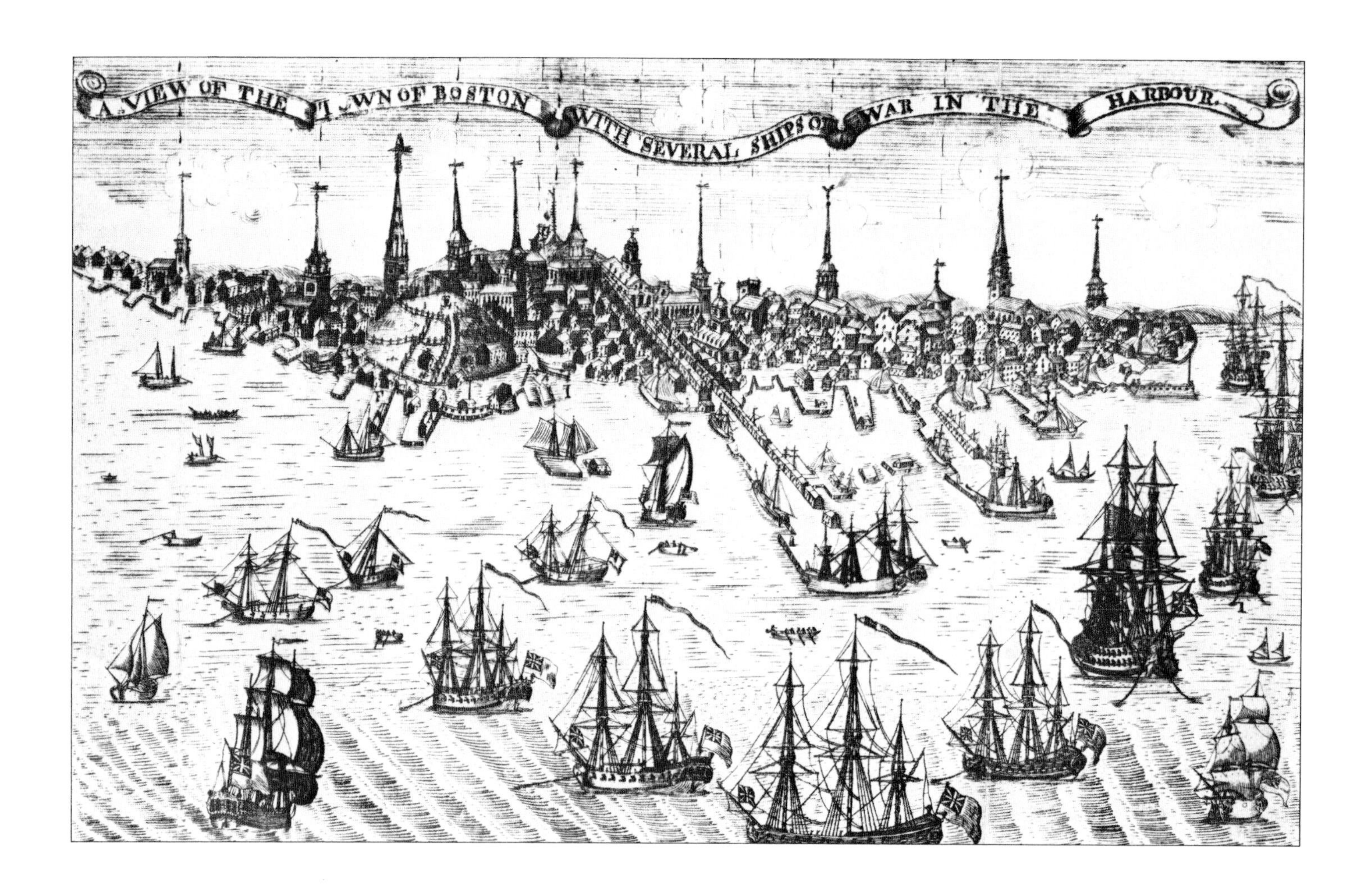

Débordant d'activité, le port de Boston constituait le centre du commerce américain, au cours du XVIIIe siècle. Sur cette gravure de 1773 due au patriote et orfèvre Paul Revere, le port est dominé par les clochers des églises et on note une flotte anglaise au mouillage.
Le plus grand quai du front de mer est le Long Wharf (au centre) ; il s'étend sur plus de 800 mètres et débouche sur la place du marché à Faneuil Hall.

L'Angleterre demandait de l'huile de baleine pour l'éclairage et le graissage. Elle avait également besoin de fanons pour les corsets, les casques, les fouets. Les Antilles attendaient de New York et du New Jersey du bœuf, des produits laitiers et des céréales. L'Europe méridionale se révélait grosse consommatrice de poisson séché. Enfin, sur toute la côte Est, les colons étaient devenus amateurs de thé. La liste de ces demandes ne cessait de s'allonger. Bientôt les navires de Hancock, ainsi que ses agents, ne tardèrent pas à s'engager dans toutes les directions, dans le cadre de trafics extraordinairement compliqués.

A l'exemple des marchands avec lesquels Randolph avait eu maille à partir au siècle précédent, Hancock ne résista pas, lui non plus, à la tentation de prendre des libertés avec les Actes de navigation. Si l'avantage s'en présentait, il n'hésitait pas à commercer directement avec des ports non britanniques. Cette pratique exigeait naturellement du doigté au moment de rejoindre le port d'attache. C'est ainsi qu'un jour, alors que deux de ses bateaux approchaient de Boston avec une cargaison de citrons espagnols, Hancock adressa un message au capitaine, lui demandant de « séparer ses navires avant d'arriver dans la ville ». Un conseil de ce genre devait être une affaire de routine.

Fréquemment, Hancock ordonnait à ses commandants de revenir d'Angleterre en passant par la Guyane hollandaise ou l'île néerlandaise de Saint-Eustache, dans les Antilles. Le commerce avec les Pays-Bas était totalement contraire aux intérêts de la métropole; c'est pourquoi Hancock invitait ses capitaines à la plus grande prudence. « Faites bien attention quand vous arrivez en vue de nos côtes. Ne communiquez avec aucun autre navire; ne laissez pas vos hommes écrire à leurs femmes quand vous arrivez à notre phare. »

Vers 1740, Hancock se risqua à nouer des relations directes avec les Pays-Bas. Il affecta deux de ses bâtiments, le *Three Friends* et le *Charming Lydia* (du nom de sa femme) à un trafic triangulaire commandé par Boston, les Antilles et Amsterdam. Les bateaux prenaient du sucre aux Antilles pour la Hollande, chargeaient du thé et du papier et reprenaient ensuite la direction de l'Amérique. Les cargaisons devaient être débarquées dans les ports du Massachusetts qui n'étaient pas surveillés par les fonctionnaires des douanes. Ses bateaux pouvaient ensuite gagner Boston à vide, en règle avec l'administration. En 1742, au moment où un de ses capitaines s'apprêtait à partir pour Amsterdam, Hancock lui recommanda: « Ne transportez aucune lettre adressée à quelqu'un d'ici; ce qui m'est destiné devra parvenir sous enveloppe et veillez à ce que personne ne transporte de lettre pour qui que ce soit. Arrangez-vous pour ne parler à personne de votre voyage. »

Si Hancock multipliait les précautions quand il s'agissait de ses

A l'entrée du port de Boston, un cotre anglais des douanes mouille à proximité du premier phare américain, construit en 1716. Au sommet de la tour de pierre de 25 mètres, la lanterne brillait du crépuscule à l'aube et consommait cinq tonnes d'huile de baleine par an. Par temps de brume, le feu ne pouvant être aperçu, le canon placé au pied du phare tirait à intervalles réguliers.

navires, son comportement était totalement différent dans le cadre de sa vie personnelle. Avec une ostentation qui aurait scandalisé les puritains du siècle précédent, il étalait sa fortune en toute occasion. Il acheta un terrain sur la célèbre Beacon Hill et fit édifier une maison de brique qui suscita l'envie de tout Boston. A l'époque, une fenêtre garnie de vitres constituait un signe de richesse. La maison de Hancock en avait 54. Celles de la façade sud donnaient sur des jardins à l'anglaise somptueux. Au moment même où il commanda toute une collection de plantes à un horticulteur anglais, Hancock écrivit: «Chacun reconnaîtra que le roi d'Angleterre lui-même ne peut s'offrir un tel luxe». L'intérieur de la maison était non moins fastueux. On pouvait y admirer des papiers peints que Hancock avait fait venir de Londres, exigeant qu'ils soient «d'une excellente facture et splendides aussi bien par les dessins que par les couleurs». On y trouvait également, affirmait-il, une pendule «avec trois belles statues, recouvertes d'or bruni».

Hancock prenait soin de sa personne autant que de sa maison. «Je veux une très belle épée, d'un argent bien travaillé ou du moins parfaitement conforme au goût d'un gentilhomme». Dans un tableau destiné à orner sa demeure, Hancock apparaît avec une robe de chambre de damas bleu, un gilet de satin blanc, des culottes de satin noir, une cape de velours rouge, des babouches de maroquin rouge et des bas de soie blanche. Un autre portrait le représente en tenue de sortie. Il arbore un costume bleu de drap fin avec des boutonnières dorées, des poignets de dentelle, un tricorne recouvre une perruque poudrée à queue et les chaussures sont ornées de boucles d'argent.

Pour circuler en ville, il commanda en Angleterre une voiture qu'il décrivait comme un «chariot couvert». Pour justifier son acquisition, il prétendait: «Madame Hancock est souvent malade et nous habitons si loin de la ville et du temple qu'une voiture ouverte ne lui convient pas du tout.» Pour ajouter une dernière note d'élégance, il s'adressa à Londres pour obtenir un cocher, un homme connu «pour sa tempérance, son honnêteté, capable de cultiver un potager, d'un tempérament actif, pas plus jeune que 26 ou 28 ans, pas plus âgé que 30 à 36».

Thomas Hancock, un marchand de Boston, amassa une des plus grosses fortunes pendant la première moitié du XVIIIe siècle, au mépris de la législation commerciale britannique. Ses bateaux quittaient Boston avec des frets autorisés: rhum, huile de baleine ou poisson. Au retour, ils déchargeaient au large la contrebande: thé, vin, mélasse. Puis, ils entraient dans le port et passaient la douane.

En quarante ans de travail intense et fécond, Hancock amassa une fortune de près de 100 000 livres. Il figurait parmi les hommes les plus riches des colonies, même si au milieu du siècle une vingtaine de négociants possédaient près de 80 000 livres. L'essentiel de leur fortune était dû à leur art de tourner la législation commerciale. Pourtant, la plupart des colons assimilaient toujours la Grande-Bretagne à la mère Patrie et ils se considéraient comme anglais — Hancock tout autant que les autres. En dépit d'une existence consacrée à priver la Couronne de revenus qu'il jugeait légitime de s'attribuer, il pensait se retirer en Angleterre pour y vivre ses dernières années. Il ne put réaliser ce désir. Le 1er août 1764, au moment où il pénétrait dans la State House du Massachusetts, dont il était conseiller, il fut terrassé par une attaque d'apoplexie. Deux heures plus tard, il expirait.

La direction de ses affaires passa alors à son neveu adoptif, John, et ce fut le point de départ d'une autre ère. John incarnait une nouvelle génération de colons, qui, loin de chercher à ruser avec les autorités britanniques, n'hésitaient pas à les attaquer de front.

Les affaires marchaient mieux que jamais. Vingt p. cent de l'ensemble du commerce maritime britannique provenaient des colonies américaines. Le tabac, le bois, l'huile de baleine, le rhum, ainsi que d'autres produits d'Amérique atteignaient 1,3 million de livres, contre 400 000 au début du siècle. Nombre de villes industrielles anglaises s'étaient lancées dans la fabrication de couteaux, de mercerie, de quincaillerie, de couvertures ou autres, destinés au marché colonial. Ces exportations anglaises associées à d'autres produits européens représentaient 2,5 millions de livres, au lieu de 350 000 en 1700. Le commerce colonial était devenu l'un des piliers de l'économie anglaise.

Quatre ans avant que John Hancock n'hérite des affaires de son oncle, George III était monté sur le trône d'Angleterre. Il avait l'intention de laisser dans l'histoire le souvenir d'un grand homme d'État. Il estima que le moyen de réaliser cette ambition était d'imposer un traitement sévère aux colonies. Dès son avènement, le Parlement commença à adopter une série de taxes sur les produits de luxe comme le vin ou la soie. George III s'appliqua à renforcer l'efficacité des services des douanes. Il exigea une enquête sur la manière dont les négociants se procuraient leur cargaison. Il ordonna que les contrebandiers soient jugés par des cours de l'Amirauté contrôlées par Londres, sans jurys ni représentants des colonies.

Aucune sentimentalité ne devait intervenir dans cette organisation de la politique commerciale. Les navires de guerre britanniques qui venaient de mener la guerre de Sept Ans contre la France seraient envoyés sur les côtes américaines pour réprimer la contrebande. Allant même plus loin, George III encouragea les corsaires anglais à s'attaquer aux bâtiments américains qui oseraient commercer avec les Français ou les Hollandais. Ces deux mesures entraînèrent des conséquences que le roi et ses conseillers jugèrent injustifiables. Jusque-là, les colonies avaient eu tendance à suivre des chemins séparés en matière politique. Avec George III, elles eurent le sentiment de se heurter à un adversaire commun. « Une attaque contre une de nos colonies sœurs », déclara le gouverneur de Virginie, John Dunmore, « dans le but d'imposer des textes illégaux s'identifie à une attaque dirigée contre l'Amérique britannique tout entière. »

Peu d'hommes se sentaient aussi concernés par les droits des colonies que John Hancock. Frêle, d'allure aristocratique, âgé de 27 ans au moment de son héritage, l'homme n'offrait nullement l'apparence d'un révolutionnaire. Depuis sa sortie de Harvard en 1754, il avait constamment travaillé dans la maison Hancock de Boston, ne s'accordant que quelques voyages pour connaître les marchés extérieurs. Un autre éminent citoyen de la Nouvelle-Angleterre, John Adams, le décrivait alors comme un modèle d'activité: « Ne se consacrant qu'à son travail, il manifestait dans son établissement la même régularité et la même exactitude que le soleil dans sa course. » Il appartenait également à la société et, davantage même que son oncle, il inspirait la mode. Tout le monde connaissait son goût pour les habits écarlates. Il portait parfois des vestes et des culottes de couleur lilas.

Son premier objectif visait le développement de la maison Hancock. Il arma une quantité considérable de navires de haute mer et, comme pour lui-même, il ne reculait pas devant les fantaisies. Il faisait peindre ses bateaux en bleu, en rouge, en jaune ou en vert. Il acheta de nouveaux baleiniers pour profiter de l'essor du marché de l'huile de baleine. En deux ans, il doubla son chiffre d'affaires.

En réalité, il estimait que sa tâche fondamentale était d'ordre poli-

John Hancock, le neveu de Thomas, protesta contre les entraves de la Couronne à l'égard des négociants des colonies. Quand il signa la déclaration d'Indépendance en 1776, il écrivit son nom en grosses lettres « de manière que George III puisse le lire sans mettre de lunettes ».

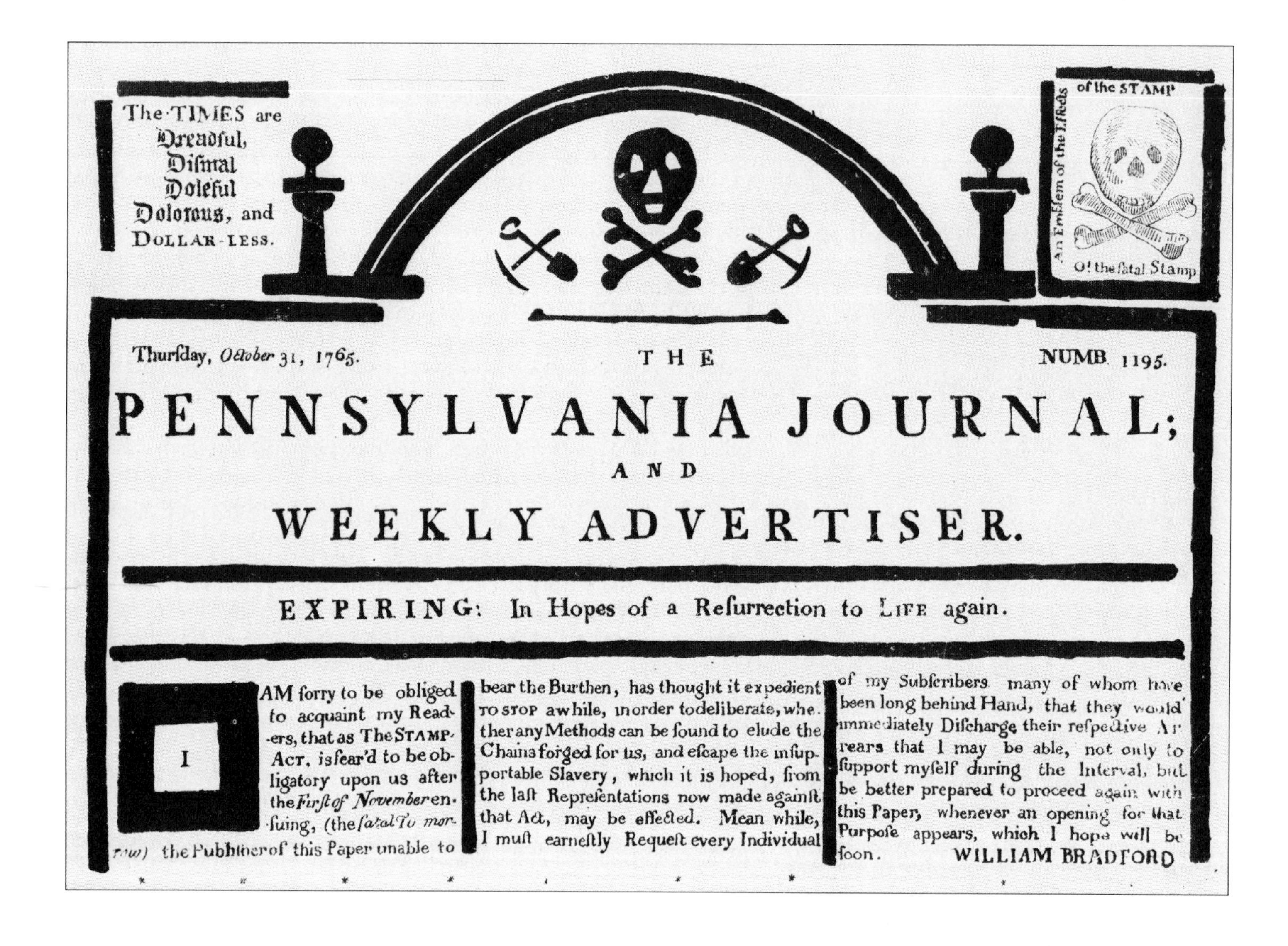

The TIMES are Dreadful, Diſmal Doleful Dolorous, and DOLLAR-LESS.

An Emblem of the Effects of the STAMP

O! the fatal Stamp

Thurſday, October 31, 1765. THE NUMB. 1195.

PENNSYLVANIA JOURNAL;

AND

WEEKLY ADVERTISER.

EXPIRING: In Hopes of a Reſurrection to LIFE again.

I AM ſorry to be obliged to acquaint my Readers, that as The STAMP-ACT, is fear'd to be obligatory upon us after the Firſt of November enſuing, (the fatal To morrow) the Publiſher of this Paper unable to bear the Burthen, has thought it expedient TO STOP awhile, in order to deliberate, whether any Methods can be found to elude the Chains forged for us, and eſcape the inſupportable Slavery, which it is hoped, from the laſt Repreſentations now made againſt that Act, may be effected. Mean while, I muſt earneſtly Requeſt every Individual of my Subſcribers, many of whom have been long behind Hand, that they would immediately Diſcharge their reſpective Arrears, that I may be able, not only to ſupport myſelf during the Interval, but be better prepared to proceed again with this Paper, whenever an opening for that Purpoſe appears, which I hope will be ſoon. WILLIAM BRADFORD

Le 31 octobre 1765, le Pennsylvania Journal *publiait en première page un sinistre message d'adieu de son propriétaire qui annonçait sa décision de suspendre la parution de son journal plutôt que de se plier au coûteux Stamp Act de 1765. Cette Loi du Timbre entraîna de telles réactions qu'elle fut rapidement abrogée.*

tique. Dès qu'il prit en main la direction de la maison, il chercha à étendre son influence dans les affaires coloniales. En 1765, il présenta sa candidature à la Cour générale du Massachusetts; mais il ne recueillit que 40 voix. Pour réparer cet échec, il se lança dans ce qu'un contemporain devait appeler «un spectacle imposant et élégant en l'honneur de la classe aristocratique de la ville, en offrant au peuple un tonneau de madère». Ces fantaisies, qui comprenaient encore un magnifique feu d'artifice, lui rapportèrent de somptueux dividendes. Quand Hancock renouvela sa candidature en vue de son admission à la Cour six mois plus tard, il fut élu à une confortable majorité.

Il commença alors ses attaques contre la répression britannique. Quand les colonies apprirent en 1765 que le Parlement venait de voter le Stamp Act ou «Loi du Timbre», faisant obligation d'acquitter un droit de timbre sur les transactions et les documents officiels, Hancock qualifia cette mesure comme «un énorme fardeau qui s'est abattu sur nous». En signe de protestation, il retira tous ses navires du service avec l'Angleterre. Plusieurs autres armateurs suivirent son exemple.

En fait, le Stamp Act, en taxant des produits de consommation courante comme les journaux ou les almanachs, dépassait largement le cadre des gros négociants. De larges couches de la population commencèrent à se détacher de l'Angleterre. Des groupes prenant le nom de Fils de la Liberté se développèrent à Boston, New York et Philadelphie. Ils entamèrent des actions violentes contre tous ceux qui appliquaient les mesures fiscales anglaises. A Boston, la foule détruisit le bureau du receveur principal du Timbre ; elle attaqua les maisons des douaniers et brûla les archives de l'Amirauté. A New York, des Fils de la Liberté lancèrent des pierres contre des soldats anglais, mirent le feu à la voiture du lieutenant gouverneur, saccagèrent la maison d'un fonctionnaire britannique et brûlèrent ses meubles en pleine rue. A Philadelphie, la foule détruisit une grande quantité de timbres.

Au début, l'Angleterre ne prêta pas attention à ces émeutes. Mais, quand les commerçants commencèrent à sentir les effets du retrait des navires américains, le Parlement dut abroger le Stamp Act : les colons arrachaient enfin une concession importante à la métropole.

Hancock ne tarda pas à se trouver mêlé à une affaire qui en fit une manière de héros auprès des patriotes du Massachusetts. En avril 1768, des agents des douanes montèrent à bord d'un de ses navires, la *Lydia*, mouillée dans le port. Ils pensaient que le bateau portait une cargaison illicite. Furieux, Hancock se précipita sur les lieux avec deux amis. Ils chassèrent les douaniers avant que ceux-ci aient eu le temps d'examiner le chargement. En l'absence de toute preuve de contrebande, les autorités renoncèrent à entamer une procédure. L'affaire eut cependant d'importantes répercussions. Elle servit d'exemple et incita nombre d'armateurs à résister aux exigences des fonctionnaires anglais.

Un mois plus tard, un autre navire de Hancock, la *Liberty*, arrivait de Madère avec un chargement de vin. Peu après, un vaisseau anglais de 50 canons, le *Romney*, mouillait à son tour dans le port de Boston. Les agents des douanes, invoquant le prétexte qu'une quantité de vin supérieure à celle figurant sur le connaissement avait été débarquée, saisirent la *Liberty* avec l'aide de l'équipage du *Romney* et commencèrent à la remorquer. Une foule s'amassa alors sur les quais. Des hommes saisirent les amarres de la *Liberty* pour la retenir. D'autres jetèrent des pierres sur l'équipage du *Romney*. Renonçant à leur tâche, les douaniers rentrèrent chez eux. La foule le suivit, et lança des projectiles sur les vitres de leurs maisons.

La colère provoquée par ces incidents venait à peine de s'apaiser que le Parlement vota une nouvelle série de lois répressives. Ces mesures, baptisées Townshend Acts, du nom du député qui les avait inspirées, imposaient des taxes sur un certain nombre de produits courants comme le thé, le verre ou le papier. Elles déclenchèrent immédiatement des réactions populaires. Les fonctionnaires anglais, les douaniers ou les colons soupçonnés d'avoir fourni des renseignements sur la contrebande furent battus et enduits de poix et de plumes. A la moindre provocation, on assistait à la formation de rassemblements. Pour maintenir un semblant d'ordre, la Couronne installa à Boston et à New York des « habits rouges », c'est-à-dire des détachements de soldats anglais. En 1770, une foule assaillit un groupe de soldats en garnison à Boston. Ceux-ci ouvrirent le feu, tuant cinq colons. Les patriotes avaient leurs martyrs, ceux du « massacre de Boston ».

Dans cette conjoncture, les affaires de Hancock languissaient, mais sa carrière politique prenait de l'importance. Il manifestait déjà une

Le cotre des douanes Gaspée brûle dans la baie de Narragansett en 1772, après avoir été incendié par huit canots de Rhode Island : il inspectait de trop près les navires américains.

activité intense en tant que conseiller municipal et membre de la General Court du Massachusetts. Et après le massacre de Boston, il devint président d'un comité exigeant le retrait des troupes britanniques. Mais les protestations demeurèrent vaines.

Boston, le port le plus actif d'Amérique, cristallisait le mécontentement des colons. Mais les autres ports n'étaient pas exempts de surveillance, et ils partageaient le sentiment d'humiliation de Boston. Un an avant le fameux massacre, les citoyens de Newport s'étaient livrés à une action mémorable contre les douaniers anglais. Leur objectif était un bâtiment de surveillance, qui, comme l'un des bateaux de Hancock, mais avec moins d'à-propos, portait lui aussi le nom de *Liberty*. Ce cotre, commandé par un agent des douanes particulièrement zélé, arraisonna un brick américain à Long Island, le 17 juillet 1769 et le conduisit jusqu'à Newport. Le commandant du navire abordé, un certain Packwood, put prouver le caractère absolument régulier de sa cargaison. Il fut cependant retenu par les autorités pendant plusieurs jours, sans recevoir la moindre indication sur l'issue de l'affaire. A ce moment, suivant le récit d'un chroniqueur, « un incident éclata entre Packwood et les hommes de la *Liberty* ; plusieurs coups de fusil furent tirés sur l'embarcation de Packwood alors qu'elle regagnait la terre. »

Pour les hommes de Hancock, c'en était trop. Ils montèrent à bord de la *Liberty* et tranchèrent les amarres. Quand le cotre s'échoua, ils en abattirent les mâts et jetèrent les canons à la mer. Peu après, la marée montante libéra le navire, qui dériva jusqu'à une île voisine, où il allait subir un dernier traitement né de la rancune des colons. Pendant la nuit, des patriotes débarquèrent sur l'île et l'incendièrent.

Un incident du même genre se produisit, au cours d'une nuit de 1772, quand le navire de guerre anglais *Gaspée* s'échoua sur un banc de sable alors qu'il poursuivait une goélette soupçonnée de se livrer à la contrebande. Ayant remarqué la situation précaire du *Gaspée*, plusieurs marchands du cru se réunirent dans une taverne et mirent au point une opération dirigée contre l'oppression anglaise. L'un d'entre eux fournit huit embarcations. Les hommes s'armèrent et, leurs avirons entourés de chiffons, ils ramèrent silencieusement en direction du banc de sable. Ils tirèrent sur le commandant du *Gaspée* et le blessèrent grièvement. Ils capturèrent ensuite l'équipage et le forcèrent à abandonner le navire. Enfin les assaillants incendièrent le *Gaspée* et le regardèrent brûler avec satisfaction. Quand les autorités anglaises interrogèrent les gens du pays, chacun prétendit tout ignorer de l'affaire.

Au cours de l'année suivante, les passions s'exaltèrent au point d'oblitérer tout raisonnement. C'est à ce moment-là que le Parlement décida d'apporter une aide financière à la Compagnie des Indes orientales en difficulté ; il lui accorda le privilège de verser des droits sur le thé inférieurs à ceux exigés des armateurs américains, afin d'inciter ces derniers à renoncer au trafic du thé. Aussi, en représailles, les colons décidèrent-ils de boycotter le thé de la Compagnie. Les chargements furent consignés dans les dépôts et de nombreux navires transportant du thé se virent interdire les ports des colonies. A Boston, les colons refusèrent de décharger les cargaisons de trois bateaux et demandèrent au gouverneur de préparer les congés permettant de renvoyer ces bâtiments en Angleterre. Mais le gouverneur, dont les deux fils et le neveu possédaient des intérêts dans le chargement, refusa son consentement. Il ordonna que les droits soient payés sur le thé non déchargé dans un délai de vingt jours.

Au fur et à mesure que les jours s'écoulaient, la nouvelle de l'incident se répandit en dehors de Boston. Le vingtième jour, le 16 décembre 1773 au matin, les gens commencèrent à se répandre dans la ville pour voir comment allaient tourner les choses au moment où le délai de grâce expirait. A la nuit, le rassemblement atteignait 8 000 personnes ; le gouverneur n'avait encore pris aucune décision et les bateaux se trouvaient toujours dans le port. La foule, en proie à une surexcitation croissante, prit alors les choses en main. Des gens déguisés en Indiens prirent les navires à l'abordage et jetèrent à l'eau le contenu de 342 caisses de thé. Tout le long de la côte, les colons ne tardèrent pas à apprendre la nouvelle, et ils manifestèrent leur approbation par de violentes démonstrations contre les autorités britanniques.

Quelques mois plus tard, le thé provoqua un second accès de fureur destructrice. Les victimes en furent des Américains, des armateurs-négociants qui, en dépit des objections de leurs concitoyens, avaient importé une cargaison de thé sur un bateau appelé le *Peggy Stewart*. Ces hommes d'affaires s'étaient déjà plus d'une fois rendus impopulaires en achetant des produits anglais que les gens tenaient à boycotter. Comme ils manifestaient le désir de payer rapidement les droits

Sur ce dessin paru à Londres en 1774, des Bostoniens font ingurgiter du thé à un agent des douanes enduit de poix et de plumes. Le fonctionnaire était chargé de faire respecter le Tea Act, destiné à assurer aux Anglais le monopole du commerce du thé. Boisson courante en Amérique, le thé rapportait des revenus substantiels aux colons jusqu'à l'application de cette loi.

pour mettre le thé en vente, un groupe de citoyens du Maryland se réunit et étudia des mesures de représailles. On envisagea de jeter le thé dans le port. Mais la plupart jugèrent cela insuffisant. Quelqu'un proposa de décharger le thé et de le brûler ostensiblement au pied du gibet de la ville. D'autres insistèrent pour que les négociants perdent leur navire. C'est finalement cette mesure draconienne qui fut adoptée. Devant une foule imposante, le *Peggy Stewart* fut incendié dans le port d'Annapolis, toutes voiles dehors, et il s'abîma dans les flots avec le thé. Ultime sanction, les armateurs durent rédiger une lettre où ils s'excusaient pour « la plus audacieuse des insultes ».

A la suite de ces incidents les Anglais réagirent avec fureur. Ils firent voter une série de lois qui ne pouvaient qu'indisposer davantage les colons. Les débats et les élections se trouvaient réduits à leur plus simple expression. Pour clore le tout, les colons ne pouvaient plus accéder à un emploi public sans autorisation royale.

Ces mesures, bientôt connues en Amérique sous le nom de Lois de coercition, furent à l'origine de la rupture. Elles incitèrent les colons à déclencher une action coordonnée pour obtenir les droits qu'ils jugaient être les leurs. Fin 1774, le premier Congrès continental se réunit à Philadelphie. Une motion fut votée, interrompant tout commerce avec l'Angleterre jusqu'à ce que les Lois de coercition soient abrogées. Loin de céder, le Parlement franchit un pas supplémentaire avec une autre série de lois interdisant tout trafic entre la Nouvelle-Angleterre et le reste du monde, à l'exception de la Grande-Bretagne et de l'Irlande. Les pêcheurs des colonies se voyaient également refuser la liberté d'accès aux bancs de Terre-Neuve.

Le point de rupture semblait atteint. La contrebande n'avait pas permis de réduire l'Angleterre, et les lois du Parlement n'avaient pas réussi à faire céder les colons. L'étape suivante ne pouvait plus être que la lutte ouverte. Dans la nuit du 18 au 19 avril 1775, des troupes britanniques sortirent de Boston pour détruire des dépôts d'armes et de munitions à Concord. Ce fut le début de la guerre.

Huit années de combat devaient suivre. La véritable réaction américaine intervint sur mer avec la course. Le Congrès continental accorda 626 lettres de marque aux seuls navires du Massachusetts, et près de 1 000 autres autorisations furent attribuées par la Cour générale de cette colonie. Près de 20 000 Américains prirent la mer comme corsaires, 2 000 hommes de plus que n'en comptait l'armée de Washington. Opérant à travers tout l'Atlantique, de la côte américaine à la Manche, et même en mer du Nord, ces corsaires capturèrent près de 800 navires anglais. A eux seuls, ceux de Salem s'emparèrent de 445 bateaux.

Nombre de ces prises étaient des bâtiments de guerre. En juin 1776, trois corsaires américains attaquèrent deux grands transports britanniques bien armés, au large de Nantasket Roads, dans l'État du Massachusetts; après un rude combat bord à bord, les Anglais finirent par se rendre et 200 soldats furent faits prisonniers. Au cours d'un engagement épique, un petit corsaire de 14 canons, le *General Pickering*, de Salem, réussit à venir à bout d'un navire anglais trois fois mieux armé, en dépit du handicap représenté par une cargaison de sucre.

Ces actions se trouvèrent largement récompensées. Une des premières prises fut le brigantin anglais *Nancy*, enlevé au large du cap Ann, dans le Massachusetts, en novembre 1775, par la goélette de 72 tonnes *Lee*. La valeur du navire et de sa cargaison dépassait 20 000 livres. De ce montant, le commandant John Manley et son équipage se partagèrent 6 574 livres. Avec 60 autres commandants de corsaire, Manley allait être intégré comme capitaine dans la marine de guerre américaine constituée au cours des dernières années du conflit.

Les armateurs recevaient la plus grande part des profits. Pendant la guerre d'Indépendance, certains réussirent à acquérir d'immenses fortunes. Robert Morris, de Philadelphie, aurait gagné huit millions de dollars. En revanche, les pertes de l'armement britannique furent très lourdes. C'est en grande partie sous la pression des négociants, alarmés, que l'Angleterre finit par s'avouer vaincue, le 19 octobre 1781.

Une fois l'indépendance obtenue, les Américains se trouvèrent enfin en mesure d'opérer en toute liberté. Le Congrès autorisa des traités de commerce avec la France, l'Espagne, les Pays-Bas, la Prusse, la Suède et la Russie. Le nouvel ambassadeur d'Amérique en France, le planteur de Virginie Thomas Jefferson, se rendit à Paris et conclut des accords pour l'exportation en France de tabac et de riz. Après une brève interruption des relations, les marchands reprirent leurs échanges avec l'Angleterre, qui ne pouvait trouver aucun autre fournisseur pour ses achats de tabac, de riz, d'indigo et de munitions navales. Aussi fut-elle satisfaite de renouer les contacts avec l'enfant révolté. En 1786, trois ans après la signature de la paix, les exportations de tabac atteignaient 51 000 livres, un niveau supérieur à celui d'avant la guerre.

La Nouvelle-Angleterre ne se redressa cependant pas aussi vite que les États du Sud, agricoles, en grande partie parce que sa fortune reposait sur les armements maritimes. Pendant le conflit, les navires de pêche et les baleiniers des colonies du Nord avaient été détruits. En dépit de la fin des hostilités, l'Angleterre interdit aux Antilles de commercer avec la jeune nation et ne manifesta aucun empressement à acheter des bateaux construits en Nouvelle-Angleterre.

Les négociants du Massachusetts avaient cependant besoin de leurs propres navires, d'autant plus qu'ils n'éprouvaient aucune difficulté à se livrer à de nouveaux trafics. Ils pénétrèrent en Baltique, transportant le rhum de leurs distilleries, des farines embarquées à Philadelphie et le tabac de la baie de la Chesapeake. En échange, ils se procuraient du fer de Suède, de la toile à voile et des cordages en Russie. Les Antilles finirent par s'ouvrir. Les îles à sucre ne produisaient pas de denrées alimentaires ; aussi les autorités furent-elles satisfaites de pratiquer une autre politique, quand les navires américains pouvaient se présenter avec du poisson, de la viande et de la farine. En 1787, les Anglais avaient finalement renoué avec la Nouvelle-Angleterre. John Hancock ne figurait cependant pas parmi les bénéficiaires. Il avait renoncé aux affaires pour devenir gouverneur du Massachusetts. Au cours des dix années suivantes, la Grande-Bretagne redevenait le principal partenaire commercial des négociants du Nord aussi bien que du Sud.

En dépit de la politique tatillonne de Randolph, en dépit de l'aggravation des Actes de navigation sous la menace des canons, en dépit encore des risques permanents d'attaque des pirates ou des corsaires, en dépit également des risques naturels de la traversée, le commerce à travers l'Atlantique n'avait jamais cessé de se développer. Dans les années qui suivirent la guerre, le rythme d'accroissement du trafic océanique s'accéléra encore. La révolution industrielle commençait à se manifester de part et d'autre de l'Océan, entraînant une dynamique

La goélette Lee, *un des 2 000 corsaires américains qui s'attaquèrent au commerce britannique, conduit en 1775 le* Nancy *à Gloucester, dans le Massachusetts. La cargaison du* Nancy *comprenait 2 000 fusils, 31 tonnes de cartouches, 3 000 boulets et gargousses et plusieurs tonneaux de poudre.*

nouvelle des économies des deux grands partenaires commerciaux.

Au même moment, l'économie des États du Sud connut une nouvelle orientation, qui ne pouvait que répondre aux besoins britanniques. La production de coton commença à dépasser celle du tabac. Entre 1791 et 1795, les plantations du Sud produisirent 5,2 millions de livres de coton. Au milieu de cette période, la machine à égrener fut inventée et la production fit un bond; au cours des quatre années suivantes, elle atteignit 18,2 millions de livres.

Les techniques navales restaient cependant à la traîne. Les navires prenaient la mer quand le temps était favorable ou suivant le bon plaisir du commandant. Les communications restaient embryonnaires. Les gens prenaient généralement la précaution d'envoyer plusieurs exemplaires d'une lettre par des navires différents pour être sûrs qu'un au moins arrive à destination. Les négociants opéraient souvent à l'aveuglette. Ils achetaient des marchandises sans connaître l'état du marché des pays où ils comptaient les vendre. Il n'existait encore aucun service de courrier direct et public entre l'Ancien et le Nouveau Monde, même si le gouvernement britannique avait en 1755 inauguré une liaison à travers l'Atlantique avec des bricks de 200 tonnes qui empruntaient la route de la Nouvelle-Écosse en été et celle des Bermudes en hiver.

Mais les navires de commerce qui traversaient l'Océan pouvaient apporter le courrier plus rapidement. En fait, la plupart des lettres étaient déposées dans les tavernes des ports et recueillies par le

Cinq corsaires américains engagent les transports armés Annabella *et* Howe, *au large de la côte du Massachusetts, le 17 juin 1776. Les deux bâtiments, qui transportaient 210 soldats écossais, faisaient partie d'un convoi de 33 navires qui avait quitté l'Écosse pour Boston. Huit furent capturés par les Américains.*

commandant d'un navire en partance pour l'Europe ou l'Amérique. Un échange épistolaire exigeait souvent six mois, voire plus.

Un tel état de choses avait le don d'exaspérer Thomas Jefferson, lorsqu'il attendait à Paris, au cours de l'été 1785, les instructions de son gouvernement. Aussi fut-il amené à étudier une modeste proposition.

> On pourrait envoyer de chaque port tous les deux mois un paquet de lettres au moyen de deux « packets », comme le montre le schéma suivant, où les deux bâtiments portent les noms de A et B.
>
> Janvier. A appareille de New York, B du Havre.
> Février.
> Mars. B New York. A Le Havre
> Avril.
> Mai. A New York. B Le Havre
> Juin.
> Juillet. B New York. A Le Havre...

Jefferson était en avance de trente-quatre ans. Quand fut inauguré un service direct de courrier, ce fut à destination de l'Angleterre et non de la France. L'ambassadeur s'était cependant montré bon prophète. Une nouvelle étape du trafic océanique était sur le point d'être franchie. La ligne de l'Atlantique Nord serait bientôt la plus active du monde. Cette étape trancherait par sa simplicité sur un passé agité. Les navires appareilleraient tout bonnement à dates fixes.

Les grands ports d'Amérique

« Aucun pays au monde ne possède des ports plus vastes, plus profonds et plus sûrs », écrivait Alexis de Tocqueville après avoir visité les États-Unis au début du XIXe siècle.

Il aurait pu ajouter qu'aucun pays n'avait construit son infrastructure maritime avec une telle rapidité et une si grande efficacité. Après la guerre d'Indépendance et la disparition définitive des impôts et des mesures d'embargo britanniques, les ports de l'Atlantique cessèrent d'être des abris médiocres pour devenir un impressionnant ensemble de quais, de dépôts de magasins et d'installations destinées à servir les relations commerciales.

En 1819, Boston construisit sur une colline située à douze kilomètres de la ville un sémaphore destiné à signaler l'arrivée des navires à l'entrée de la baie du Massachusetts. Les messages étaient enregistrés par un guetteur juché sur une seconde tour bâtie sur les quais. Au même moment, les New-Yorkais, ainsi que le signalait l'écrivain Fenimore Cooper à l'un de ses amis d'Europe, « construisaient tous les jours de nouveaux alignements de quais en pierre ». Les quais de New York allaient finalement s'allonger sur douze kilomètres.

En fait, les ports avaient dès le départ joué un rôle déterminant dans la prospérité de l'Amérique. William Penn choisit le site de Philadelphie de manière à trouver un port capable de recevoir les bâtiments de 300 tonnes en service à son époque. Charleston fut fondée en 1670 afin de répondre aux désirs des commerçants anglais de disposer d'une base pour commercer avec les Antilles. Le port avait été établi au point le plus méridional de la côte, sans entraîner des réactions hostiles de l'Espagne.

Même lorsque la colonisation dépassa les Appalaches au XVIIIe siècle, les ports demeurèrent les centres financiers et intellectuels de la jeune nation. Jusqu'en 1870, quand Chicago dépassa Boston, aucune ville de l'intérieur n'atteignait l'importance des cinq grands ports de la côte est, dont la description occupe les pages suivantes. Pour les hommes ou les femmes qui venaient de traverser l'Atlantique, les ports américains apparaissaient comme des monuments d'énergie. Un Anglais débarquant à New York au début du XVIIIe siècle constatait que « chaque pensée, chaque mot, chaque regard de la foule semblait être inspiré par le commerce ».

Un trois-mâts et des centaines de navires de haute mer s'alignent dans le port de New York, à peu de distance des murailles de pierre du port de l'île du gouverneur. Au début du XIXe siècle, à l'époque de cette gravure, les appontements de New York, encore sommaires, se limitaient à des blocs de pierre recouverts de terre tassée. Certains de ces quais pouvaient cependant accueillir 30 à 40 voiles à la fois.

Dans le port de Boston, des marins à bord de canots manœuvrent à côté d'une goélette, d'un chaland et d'un radeau. Au moment de la naissance de la nation américaine, Boston offrait des installations portuaires que l'on ne trouvait dans aucun autre port. « Les navires peuvent décharger leurs cargaisons au pied même des magasins du front de mer », notait un New-Yorkais. Le moulin du port était un des trois bâtiments de ce genre dans la ville.

Sur les rives de la Delaware, à l'ombre de l'orme où William Penn, en 1682, avait signé un traité avec les Indiens et fondé Philadelphie, des ouvriers du XIXe *siècle travaillent sur de petits navires. Vers 1800, la construction navale constituait une des activités majeures de Philadelphie et un des éléments essentiels du cabotage ; 90 p. cent du bois de construction venait de tout le pays : le mûrier du Maryland et de la Virginie, le chêne et le cèdre de Caroline et de Géorgie.*

Un marinier guide un chaland de céréales au milieu d'une flotte de navires qui encombrent le port de La Nouvelle-Orléans. L'acquisition de la Louisiane en 1803 constitua pour les régions de l'intérieur un magnifique entrepôt. De 1816 à 1821, plus de 16 millions de dollars de coton et d'autres produits descendirent le Mississippi avant d'être exportés par La Nouvelle-Orléans. Jusqu'à la construction du premier entrepôt en 1836, les marchandises étaient stockées sur les quais.

Sur une rive marécageuse, en *face du port de* Mobile, dans l'Alabama, des matelots calfatent la coque d'une embarcation, tandis que d'autres fixent les planches d'un sloop en construction. Situé à 60 kilomètres du golfe du Mexique et au confluent des rivières Mobile et Tensaw, le port exportait par mer le coton transporté par eau depuis l'intérieur. De 1817 à 1860, plus de 13,5 millions de livres de coton furent embarquées à destination de l'Angleterre et de la France.

Sous un ciel d'orage, des navires de rivière et de haute mer mouillent dans le port de Charleston, au confluent de l'Ashley et de la Cooper. Seul port du Sud à bénéficier d'un accès direct sur l'Atlantique, Charleston était le centre commercial d'une façade côtière de 1 200 kilomètres, s'étendant du sud de la Virginie à la Floride espagnole. La ville bénéficia des exportations de riz, de coton et d'indigo, un des colorants les plus utilisés au XIXe siècle.

Chapitre 3

L'épopée des paquets

Le 5 janvier 1818, une aube blême se levait sur New York et un vent glacial de nord-est faisait tourbillonner les rafales de neige dans South Street en direction du front de mer. Ce n'était guère une journée favorable pour entreprendre une traversée océanique. Pourtant, à l'un des quais, des matelots étaient juchés dans la mâture d'un navire de commerce de 424 tonnes, le *James Monroe*. A la main, ils enlevaient la neige qui s'était accumulée, hissaient les voiles et arboraient un pavillon marqué d'une boule noire sur fond rouge. Les dockers chargèrent à bord 1 500 tonneaux de pommes, 860 fûts de farine, 200 de potasse, 71 balles de coton, 14 balles de laine, des cages à poules, des vaches, des porcs et des moutons sur pied, ainsi qu'un sac de toile rempli de courrier. En fin de matinée, huit passagers franchirent la coupée.

Quand les cloches de l'église Saint-Paul sonnèrent dix heures, le capitaine James Watkinson donna l'ordre de larguer les amarres. Les matelots bordèrent les voiles et le *James Monroe* s'avança dans la baie, sous les acclamations croissantes d'un groupe de badauds rassemblés sur le front de mer, qui avaient observé la scène avec une curiosité mêlée de scepticisme. Le *James Monroe* partait pour Liverpool, à l'heure prévue, en dépit des tempêtes de janvier et du fait qu'il aurait pu encore embarquer 1 000 barils et une vingtaine de passagers.

Jamais jusque-là un navire de commerce ne s'était engagé à livrer des marchandises, sur un trajet océanique, à une date fixée à l'avance. Avant de lever l'ancre, les commandants attendaient toujours une cargaison complète, un ou deux passagers supplémentaires, un ciel et des vents favorables. Le départ au jour convenu du *James Monroe* annonçait les débuts d'une étape audacieuse, pour ne pas dire révolutionnaire, dans l'histoire mouvementée des affaires.

L'entreprise avait vu le jour dix semaines plus tôt, organisée par Isaac Wright, un négociant de New York, en liaison avec quatre associés et des correspondants de Liverpool. Trois des associés, Benjamin Marshall et les deux frères Jeremiah et Francis Thompson, étaient des Anglais établis à New York et chargés de surveiller les importations de laine de leur famille engagée dans l'industrie textile. Le dernier, William, le fils d'Isaac Wright, habitait Long Island. Avec son père, il exportait du coton à tisser en Angleterre. Jusque-là, tous s'étaient montrés mécontents de l'irrégularité des navigations à travers l'Océan.

Chacun prit la décision d'investir 25 000 dollars dans la constitution d'une petite flotte de quatre bateaux. Le 27 octobre, ils purent faire paraître une annonce dans l'*Evening Post* de New York. « Afin d'assurer

Le paquet Virginian de 616 tonnes arbore l'insigne de la Red Star Line de New York au petit hunier. Moins de trente ans après la création de la première ligne de paquets, en 1818, plus de cinquante navires assuraient des services réguliers sur l'Atlantique. A lui seul, le port de New York comptait trois départs et trois arrivées par semaine.

des conditions de transport régulières et fréquentes pour les marchandises et les passagers », ils avaient décidé « d'établir une ligne de bateaux entre New York et Liverpool, avec des départs tous les mois dans chaque sens, tout au long de l'année. » Au même moment, une note identique paraissait à Liverpool annonçant « une succession régulière de navires, destinés à appareiller de toute façon, à pleine charge ou non ».

En prenant l'engagement d'effectuer des traversées régulières avec quatre bateaux, Wright et ses associés assumaient un risque considérable. Les navires risquaient d'accomplir les traversées avec un chargement et des passagers en quantités insuffisantes pour couvrir les frais. Les bâtiments supporteraient également des fatigues exceptionnelles en affrontant l'Atlantique tout au long de l'année. Évoquant ses souvenirs, un commandant, qui avait essuyé une forte tempête, racontait: « Après une lutte interminable contre un vent déchaîné, des lambeaux de voiles arrachées se trouvaient tellement emmêlés et enchevêtrés que même un marline-spike ne pouvait les pénétrer ».

Assumer des risques exceptionnels constituait cependant l'occasion de magnifiques bénéfices. Au cours du redressement commercial qui avait suivi la guerre d'Indépendance et ses prolongements, le conflit de 1812, les fabriques anglaises n'avaient cessé de demander du coton en quantités croissantes. Les plantations du sud des États-Unis devaient répondre à cette demande par des récoltes record; rien qu'en 1822, 156 000 balles de coton avaient quitté La Nouvelle-Orléans. Simultanément, la conquête des terres de l'Ouest offrait à l'exportation des produits comme des farines ou du fromage. En ce qui concerne ce dernier, un Anglais visitant les quais de New York écrivait en 1843 que chaque navire « embarque d'énormes quantités de cet article. Qui aurait pu penser que John Bull mangerait du fromage yankee? Il se vend en Angleterre de 40 à 50 cents les cent livres, un prix qui couvre le transport, les frais et laisse à Brother Jonathan, — le surnom donné par les Américains aux Anglais de l'époque — un confortable bénéfice ». Un autre trafic rémunérateur concernait les espèces, c'est-à-dire les pièces de monnaie, qui traversaient l'Atlantique dans les deux sens, étant donné que les taux de fret se réglaient au comptant.

Le port de New York bourdonnait d'une activité intense, à l'époque où Isaac Wright et ses associés créaient leur service sur l'Atlantique. Les ballots, les fûts, les tonneaux, les caisses encombraient les quais. Les haquets, les brouettes, les chevaux et les piétons se disputaient le passage. « Tout était en mouvement », notait un visiteur impressionné par cette activité. Au carrefour de Wall et de Water Streets, à un pâté de maisons ou deux du front de mer, les commissaires-priseurs tenaient leurs assises sur les degrés de Tontine Coffee House, un des lieux de rencontre de prédilection des hommes d'affaires; ils recevaient les offres des acheteurs qui les criaient depuis la rue. Dans les cafés, les courtiers et leurs employés négociaient les frets et les contrats d'assurance. En se dirigeant vers leurs bureaux, les armateurs emportaient avec eux la correspondance échangée avec les négociants américains ou étrangers; ils décidaient le moment de procéder au carénage d'un navire, des affectations des capitaines pour tel ou tel bateau. S'ils n'avaient aucune tâche urgente à régler, ils se transformaient eux-mêmes en courtiers sur les quais; ils faisaient monter d'éventuels passagers à bord de leurs bâtiments et s'efforçaient de les convaincre qu'ils ne pouvaient espérer moyen de transport plus avantageux.

Voitures à chevaux, tonneaux, balles, bois de construction encombrent la rue du célèbre Tontine Coffee House, où négociants et armateurs de New York se rencontraient pour monter des opérations au cours de bons repas.

Pratiquement tous les négociants armateurs de New York vivaient à quelques pas de leurs bureaux, en vue des bateaux qui descendaient ou remontaient l'East River. Ils se levaient si tôt, qu'on avait fini par les appeler, avec un mélange d'humour et d'admiration, les gars du point du jour. Vers 5 heures 30, un certain nombre d'entre eux arpentaient déjà les quais, examinant les bateaux, les cargaisons, discutant avec leurs collègues à la bourse du commerce. Quand on apprenait l'arrivée d'un navire dans le port, l'armateur criait « Passe-moi ma lorgnette d'espion ! » et il se précipitait à la fenêtre pour savoir s'il s'agissait d'un de ses bateaux. Dans ce cas, il louait les services d'un batelier pour se faire conduire à bord. Il surveillait personnellement le déchargement, dirigeant bien souvent lui-même sa propre équipe de débardeurs.

Les journées de travail se terminaient tard. La plupart des négociants appartenaient à un club, appelé House of Lords, qui tenait ses assises, à la Baker City Tavern, au 4 de Wall Street. Tous les soirs de la semaine, à 19 heures 30, les membres du club s'y retrouvaient. Chacun avait droit à une quantité déterminée d'alcool; pas une goutte de plus et les discussions cessaient à 22 heures, l'heure de la fermeture.

Wright et ses associés étaient par avance convaincus que les négociants qui disposaient de cargaisons, les fonctionnaires chargés de missions et tous ceux qui avaient une lettre à expédier seraient prêts à payer des tarifs élevés en échange d'un service assuré.

Le long de South Street à New York, appelée aussi Packet Row, les navires attendent passagers et cargaisons. Charles Dickens, visitant ce quai en 1842, constatait avec surprise que « les beauprés des navires pénétraient presque dans les fenêtres ».

L'expérience leur donna raison. A la fin de la première année, les quatre « paquets » de la nouvelle ligne avaient déjà effectué chacun trois rotations entre New York et Liverpool, parfois avec un chargement complet, mais toujours en respectant le plan établi, même s'ils avaient parfois été retardés par un temps détestable. La priorité donnée à l'horaire ne fit naturellement que susciter un intérêt en faveur de la vitesse. En sollicitant la toile jour et nuit, ces navires réussirent à réduire la traversée vers l'Europe, appelée aussi aval, avec les vents dominants d'ouest et le courant du Gulf Stream, de un mois à une moyenne de 24 jours. Quant au temps nécessaire pour le passage vers l'ouest c'est-à-dire l'amont, il tomba de trois mois environ à 40 jours.

La Black Ball Line, comme on l'appelait en raison de l'emblème qui figurait sur le pavillon de la société, obtint un tel succès qu'elle finit par susciter la concurrence. L'année 1822 vit ainsi la création de deux nouvelles lignes opérant entre New York et Liverpool, la Red Star et la Swallowtail, l'une et l'autre disposant de quatre bâtiments. A cette date, la flotte de la Black Ball comportait huit navires, portant le total des bâtiments effectuant la liaison New York-Liverpool à seize, permettant ainsi d'effectuer des départs hebdomadaires. Ces bateaux et ceux du même type finirent par mériter un nom spécifique. Le public leur en donna un ; c'est ainsi que l'expression « packet », qui s'appliquait à tous les bâtiments transportant une cargaison en paquets, finit par désigner les navires observant un horaire régulier et de là, les bateaux susceptibles de faire arriver à l'heure, les chargements les plus urgents, le courrier important ou les passagers pressés.

Pendant près d'un demi-siècle, jusqu'à ce que la vapeur fasse son apparition, avec ses qualités et ses inconvénients, et apporte une nouvelle dimension à la navigation maritime, les bâtiments à voiles, bien mis au point par Isaac Wright et ses associés, constituèrent les éléments essentiels des relations transatlantiques. Ils descendaient en ligne directe de ces vaillants navires de la colonisation qui avaient procuré la première place à la liaison océanique. Ils procédaient également de l'armée des bâtiments marchands qui avait fait de l'Atlantique Nord une grande artère commerciale, tout au long du XVIIIe siècle. En 1843, 24 paquets parcouraient déjà la seule route New York-Liverpool et d'autres navires appareillaient de Boston, Philadelphie et Baltimore à destination de Londres, du Havre et d'Anvers. Tous opéraient en liaison avec un réseau de lignes côtières régulières reliant New York à Charleston, Savannah, La Nouvelle-Orléans et Mobile. Ils se trouvaient également en correspondance avec des lignes fluviales sur l'Hudson, le Mississippi et les autres fleuves du continent américain. Au total, le système hydrographique s'étalait sur des centaines de milles.

Ce système de rotation constituait la clé de voûte de toute la navigation maritime. Le succès tenait naturellement au génie visionnaire d'armateurs tel Isaac Wright ; il procédait également de la remarquable habileté des commandants, de la résistance des équipages et de l'étonnante qualité des navires eux-mêmes.

Indépendamment des symboles qui figuraient sur les pavillons flottant au sommet des maisons de navigation ou à la corne d'artimon, la boule noire, l'étoile rouge ou la queue d'aronde, il n'y avait guère de différence entre les premiers paquets et les navires marchands classiques. Les paquets n'étaient autres que des trois-mâts à voiles carrées. Tous

Toujours prêt a exploiter une idée intéressante, l'armateur Thomas P. Cope adopta en 1822 dans sa ville natale la formule des lignes régulières de New York. Sa société, la Cope & Son, offrit ainsi des services directs chaque mois entre Philadelphie et New York, pendant près de quarante ans.

Affiche de la société Train and Company annonçant l'entrée de Boston dans le trafic des paquets. Créée en 1844, la société finit par armer 30 bâtiments arborant son pavillon, le White Diamond (le diamant blanc) et réalisa un bénéfice annuel d'un million de dollars.

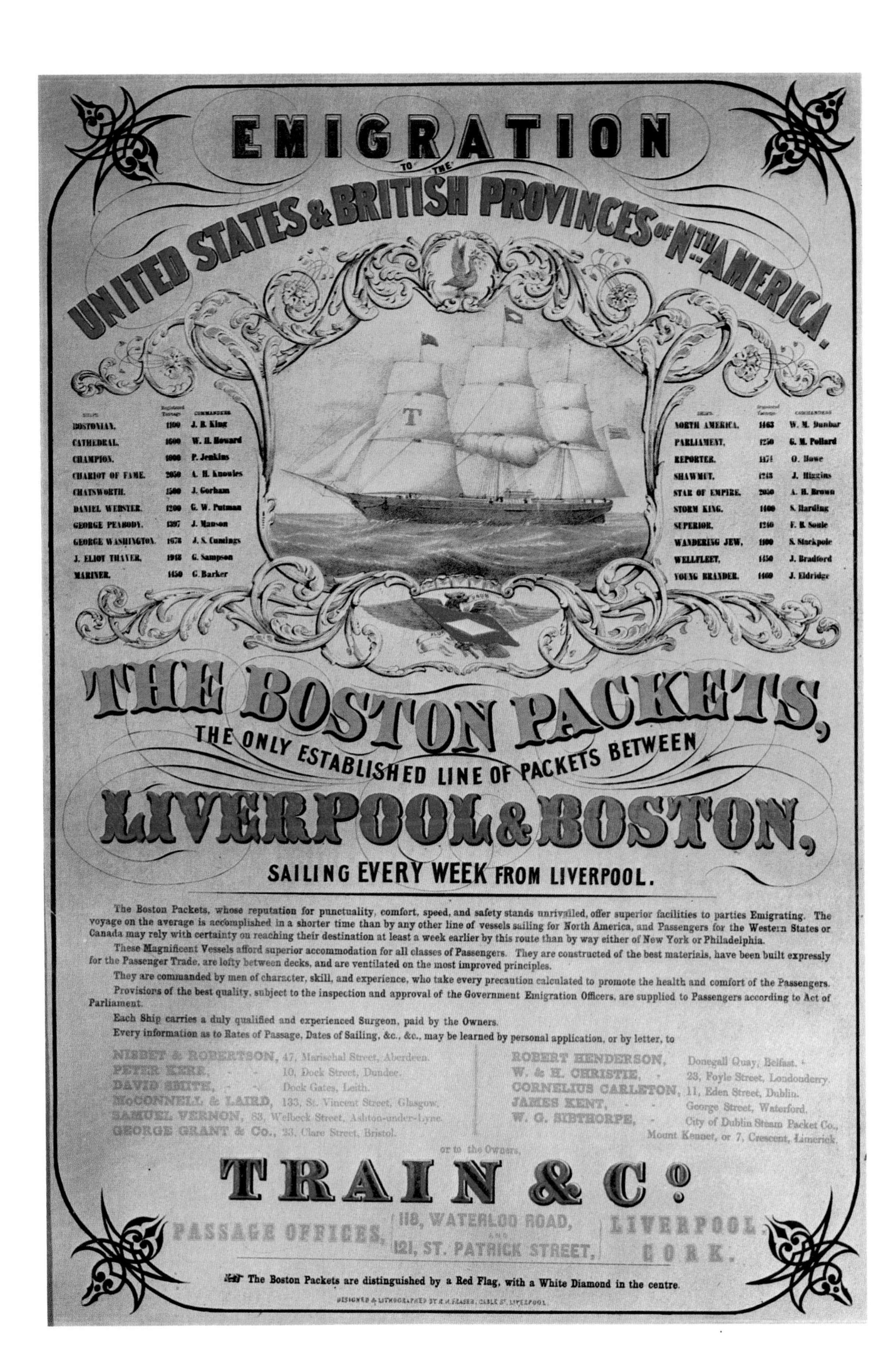
EMIGRATION
TO THE
UNITED STATES & BRITISH PROVINCES OF NTH AMERICA.
SHIPS. | Registered Tonnage. | COMMANDERS.
BOSTONIAN. 1100 J. B. King
CATHEDRAL. 1600 W. H. Howard
CHAMPION. 1900 P. Jenkins
CHARIOT OF FAME. 2050 A. H. Knowles
CHATSWORTH. 1500 J. Gorham
DANIEL WEBSTER. 1200 G. W. Putman
GEORGE PEABODY. 1397 J. Manson
GEORGE WASHINGTON. 1678 J. S. Cumings
J. ELIOT THAYER. 1918 G. Sampson
MARINER. 1450 G. Barker
NORTH AMERICA. 1463 W. M. Dunbar
PARLIAMENT. 1250 G. M. Pollard
REPORTER. 1474 O. Howe
SHAWMUT. 1243 J. Higgins
STAR OF EMPIRE. 2050 A. H. Brown
STORM KING. 1400 S. Harding
SUPERIOR. 1240 F. B. Soule
WANDERING JEW. 1100 S. Stackpole
WELLFLEET. 1450 J. Bradford
YOUNG BRANDER. 1400 J. Eldridge
THE BOSTON PACKETS,
THE ONLY ESTABLISHED LINE OF PACKETS BETWEEN
LIVERPOOL & BOSTON,
SAILING EVERY WEEK FROM LIVERPOOL.
The Boston Packets, whose reputation for punctuality, comfort, speed, and safety stands unrivalled, offer superior facilities to parties Emigrating. The voyage on the average is accomplished in a shorter time than by any other line of vessels sailing for North America, and Passengers for the Western States or Canada may rely with certainty on reaching their destination at least a week earlier by this route than by way either of New York or Philadelphia.
These Magnificent Vessels afford superior accommodation for all classes of Passengers. They are constructed of the best materials, have been built expressly for the Passenger Trade, are lofty between decks, and are ventilated on the most improved principles.
They are commanded by men of character, skill, and experience, who take every precaution calculated to promote the health and comfort of the Passengers.
Provisions of the best quality, subject to the inspection and approval of the Government Emigration Officers, are supplied to Passengers according to Act of Parliament.
Each Ship carries a duly qualified and experienced Surgeon, paid by the Owners.
Every information as to Rates of Passage, Dates of Sailing, &c., &c., may be learned by personal application, or by letter, to
NISBET & ROBERTSON, 47, Marischal Street, Aberdeen.
PETER KERR, 10, Dock Street, Dundee.
DAVID SMITH, Dock Gates, Leith.
McCONNELL & LAIRD, 133, St. Vincent Street, Glasgow.
SAMUEL VERNON, 83, Welbeck Street, Ashton-under-Lyne.
GEORGE GRANT & Co., 23, Clare Street, Bristol.
ROBERT HENDERSON, Donegall Quay, Belfast.
W. & H. CHRISTIE, 23, Foyle Street, Londonderry.
CORNELIUS CARLETON, 11, Eden Street, Dublin.
JAMES KENT, George Street, Waterford.
W. G. SIBTHORPE, City of Dublin Steam Packet Co., Mount Kennet, or 7, Crescent, Limerick.
or to the Owners,
TRAIN & Co.
PASSAGE OFFICES, 118, WATERLOO ROAD, AND 121, ST. PATRICK STREET, LIVERPOOL. CORK.
The Boston Packets are distinguished by a Red Flag, with a White Diamond in the centre.

étaient construits pour porter le maximum de toile. Chaque mât se décomposait en trois parties: le bas mât qui descendait jusqu'à la quille, le mât de hune, dominant le premier, surmonté lui-même par le mât de perroquet, le plus fin et le plus élancé. De haut en bas, le grand mât supportait la grand-voile, le grand hunier, le grand perroquet et le cacatois. A l'avant, le mât de misaine portait une voilure identique. Quant au mât d'artimon, il arborait essentiellement la brigantine, une voile de forme trapézoïdale. Enfin, toujours à l'avant, le beaupré servait de support aux voiles de foc.

Les paquets donnaient une impression de lourdeur, avec une étrave basse, des flancs arrondis et un arrière en forme de V. Le *James Monroe* de la Black Ball, qui avait déjà effectué un service de sept mois avant d'accomplir sa première traversée régulière, était caractéristique de ce genre de bateau. Il mesurait 39 mètres de long, et 9 mètres au bau, soit un rapport longueur-largeur de l'ordre de 4 à 1. Ses cales, profondes de 4,5 mètres, permettaient d'embarquer une cargaison de 3 500 barils.

Vers 1835, les chantiers de New York, installés sur le front de mer, se consacraient à la construction de ces bâtiments ainsi qu'aux équipements dont ils pouvaient avoir besoin. Le paquet servait avant tout comme cargo. Avec le développement du trafic, la taille elle-même des bateaux se mit à croître, passant d'une moyenne de 400-500 tonnes à 800. Vers 1850, certains navires atteignirent le déplacement record de 1 700 tonnes. L'augmentation de la taille entraîna des fonds plus plats. En effet, les bâtiments à fond plat, destinés à franchir les bancs de sable de l'embouchure du Mississippi, pouvaient tenir des vitesses élevées, emporter des cargaisons bien plus importantes, et disposaient d'une plus grande stabilité. Ces qualités comportaient des avantages majeurs pour les négociants engagés dans le commerce transatlantique malgré un inconvénient: le paquet écrasait la lame au lieu de la couper, au déplaisir des passagers.

Dès le départ, le trafic passager se révéla important et les paquets cherchèrent à attirer les voyageurs, en insistant sur les avantages du confort et du service. Cette tendance provoquait les sourires d'un journaliste du *New York Herald*: « Qu'est-ce qui va suivre? », demandait-il, après avoir visité le paquet *Liverpool* et constaté que le grand salon « était suffisamment large pour accueillir 40 cabines et assez haut pour recevoir un homme de 2,40 mètres avec ses chaussures. » Le confort se trouva cependant relégué au second plan quand l'émigration depuis les îles britanniques commença à se développer à partir de 1850. Le gros des recettes des paquets se dirigeant vers l'Ouest provenait d'émigrants qui cherchaient à se rendre en Amérique à tout prix, mais trop pauvres pour se soucier des conditions de confort. Des milliers de passagers voyagèrent dans l'entrepont réservé uniquement au chargement lors des traversées à destination de l'Europe.

Ces navires requéraient une construction solide, quelles que soient leur taille ou leur fonction; ils se trouvaient, en effet, condamnés à affronter l'Océan tout au long de l'année. Les armateurs, ainsi que les capitaines, qui jouaient un rôle de plus en plus important dans la surveillance des plans et de la construction, tenaient à ce que ces bateaux soient construits avec des matériaux solides, cèdre, caroubier ou bien chêne. Vers 1830, les armateurs devaient débourser près de 40 000 à 50 000 dollars par navire. Il s'agissait là d'un investissement important mais rentable. Un paquet voyageant à pleine charge pouvait

Amenant le petit hunier, le paquet Orpheus de 573 tonnes appareille pour une traversée New York-Liverpool, en 1835. Il était l'un des neuf bâtiments qui naviguaient sous le pavillon de la Black Ball (la boule noire).

rapporter près de 20 000 dollars par an rien que pour le fret; à cette somme, on pouvait en ajouter 10 000 pour le transport des passagers, des espèces et du courrier. Même en tenant compte de l'entretien, le bâtiment pouvait être amorti en deux ou trois ans.

Associant vitesse, régularité et solidité, les paquets ne tardèrent pas à acquérir une réputation mondiale. C'est ce que soulignaient deux vers d'une chanson de marin: « Tiré à quatre épingles de la quille à la pomme des mâts/C'est un paquet de Liverpool/Mon Dieu, regardez-le filer! » Charles Dickens, qui embarqua à bord d'un de ces bateaux en 1842, devait se montrer plus enthousiaste encore: « Les valeureux navires américains ont fait du service des paquets le meilleur du monde. »

La plupart des matelots enrôlés sur ces bateaux étaient originaires de la Nouvelle-Angleterre. Ils avaient fait leur apprentissage de la vie maritime au cours de campagnes de pêche. « A bord de ces navires », écrivit le romancier Herman Melville, qui s'était embarqué comme mousse en 1839, « le travail de l'équipage était extrêmement pénible. Il devait sans cesse manœuvrer les voiles pour rendre les traversées les plus rapides possible et répondre à la réputation de vitesse du bâtiment. » Contrairement aux matelots des navires habituels, qui prenaient leur temps, se contentaient de serrer les voiles et d'attendre dans les fonds la fin d'une tempête, les hommes des paquets restaient sur la brèche pendant toute la durée du coup de vent. Au cours de l'hiver, ils affrontaient des vents déchaînés, des tourmentes de neige et des lames gigantesques qui balayaient les ponts. « Ces marins, écrivait un capitaine, étaient à tout point de vue des hommes d'une qualité exceptionnelle. Ils pouvaient endurer ce qu'il y a de pire en matière de temps, de nourriture et d'existence. Ils tenaient le coup en dormant moins, en buvant plus et en souffrant davantage que les autres marins. »

L'ancien matelot de paquet Melville faisait une autre remarque. « Il y a des catégories d'hommes qui jouent dans la vie sociale le même rôle que les roues pour une voiture ; ils sont tout aussi indispensables. Ces marins constituent l'une de ces roues. »

Il fallait deux ou trois douzaines d'hommes de cette trempe pour armer un paquet. Les matelots se trouvaient sous les ordres de trois officiers, le commandant, le premier et le second lieutenant. L'équipage comprenait encore un charpentier, un cuisinier, un bosco chargé du matériel et des mousses âgés d'une quinzaine d'années, qui effectuaient de menus travaux pour le compte du premier lieutenant et apprenaient la navigation au contact des marins. En fait, la majorité des hommes de l'équipage se répartissait en deux catégories suivant leur expérience : les matelots qualifiés et les marins ordinaires.

Le travail des matelots ordinaires consistait à manœuvrer les cordages sur le pont ou à grimper dans la mâture pour ferler les voiles. Parfois, ils étaient autorisés à tenir la barre. En revanche, les marins qualifiés devaient être rompus à de multiples travaux. Il leur fallait avoir une connaissance parfaite de l'extrême complexité du gréement, voiles, espars, cordages. Ils devaient offrir les qualités d'un forgeron pour fabriquer les crochets, ou les anneaux nécessaires à une poulie, présenter le talent d'un charpentier quand il s'agissait de réparer un mât endommagé. Ils devaient encore savoir manier l'aiguille, utiliser des cordages pour rétablir l'équilibre de la mâture, réparer des embarcations et accomplir de nombreuses tâches d'entretien.

L'équipage se trouvait divisé en deux quarts qui servaient, à tour de rôle, sous le commandement d'un des officiers, avec des travaux divers à exécuter. Jour et nuit, un homme se tenait à la barre, conservant le cap fixé par le commandant. En cas de tempête, alors que le bateau roulait et tanguait, il fallait deux hommes pour tenir la roue, et ils couraient le risque d'être emportés par les lames hautes de 4 à 5 mètres qui déferlaient sur l'arrière. Un homme devait également se tenir à l'avant pour veiller en permanence aux moindres signes de changement de temps, à l'apparition des navires, d'icebergs ou de la terre. Relativement agréable par beau temps, cette veille s'accomplissait également sous la pluie, les averses de neige et de grêle ou sous la morsure du soleil.

L'équipage consacrait une large part de son travail à l'entretien du navire. Il s'agissait là d'une tâche normale mais rendue plus exigeante encore par la conception même du paquet. Melville devait rappeler qu'à ses débuts on lui avait remis un seau, en lui ordonnant d'enduire le mât de hune de graisse de cuisine afin de l'empêcher de sécher. « Le seau était lourd, avec une grosse poignée de fer, et il devait peser au moins dix kilos ; il était empli d'une graisse épaisse qui, je le sus par la suite, s'obtenait en faisant bouillir du bœuf salé destiné à la nourriture des matelots. Au moment de monter dans la mâture, je m'aperçus qu'il n'était pas facile de porter cet énorme récipient. La corde qui le tenait était tellement imprégnée de graisse que j'avais beau l'enrouler autour de mon poignet, elle ne cessait de glisser. »

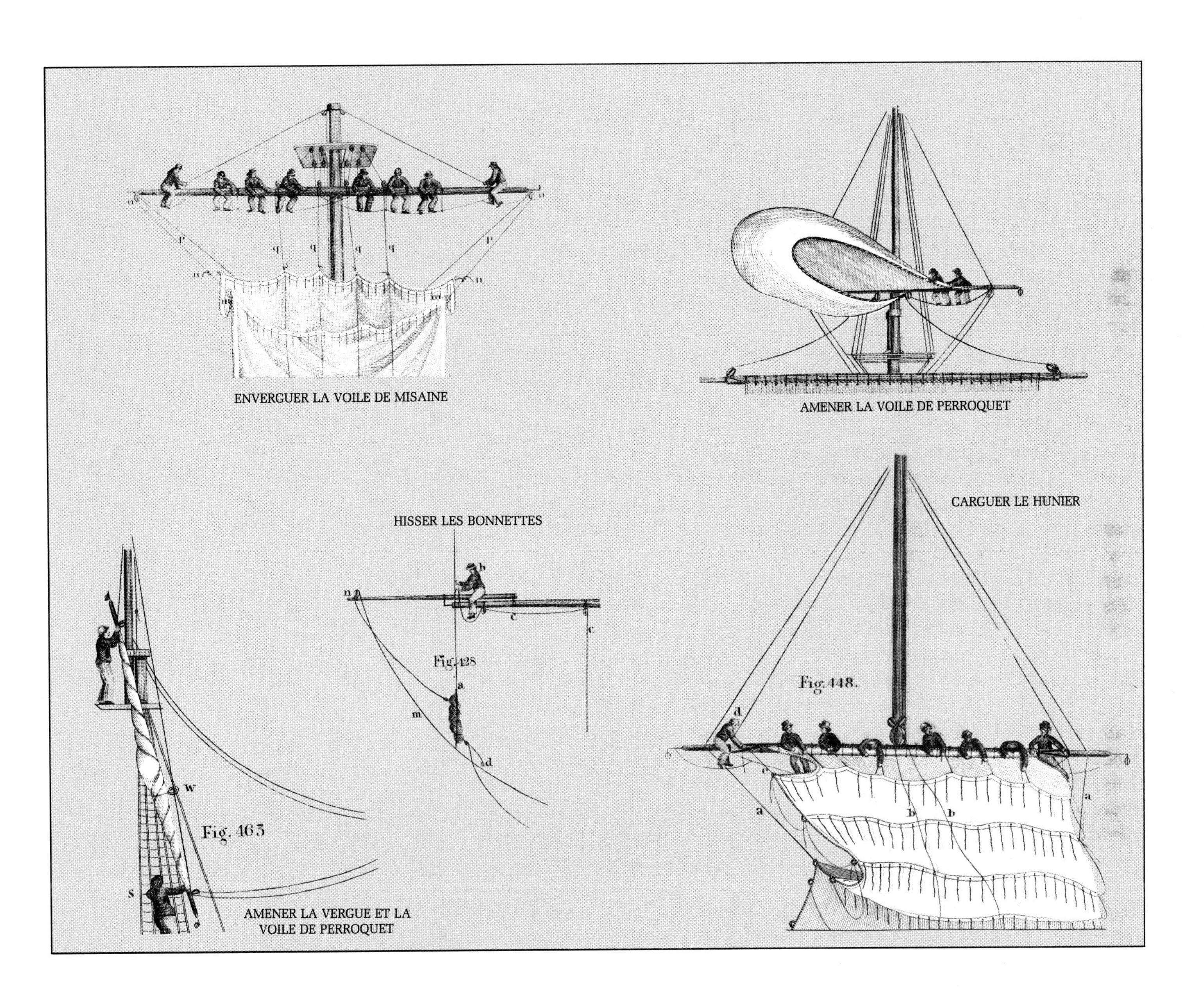

Tirés d'un manuel de matelotage de 1819, destiné à « inciter beaucoup d'hommes à apprendre leur métier », cinq croquis montrent quelques manœuvres pratiquées à bord des paquets. Ces dessins n'ont qu'un lointain rapport avec la réalité. Au cours des tempêtes d'hiver de l'Atlantique, une véritable lutte à mort s'engageait pour conserver, à l'aide de cordages et d'espars givrés, le contrôle des voiles gonflées à bloc.

Parfois, un homme, accroché à un filin au-dessus de la proue, débarrassait l'ancre de sa rouille. Sa tâche consistait également à recueillir de vieux cordages dont les fibres serviraient à calfater la coque; il y avait à remettre en place des taquets, déplacés par le mouvement constant des cordages, et à réparer des voiles.

Jour après jour, encore et encore, le pont devait être nettoyé et briqué avec une pierre. Ce travail monotone, qui constituait un véritable rite, débutait dès le premier quart du matin, à 4 heures; même si le pont avait été intégralement astiqué, certains capitaines, probablement dans l'intention de maintenir les hommes occupés, faisaient recommencer le travail au cours du quart de l'après-midi. On remplissait d'eau de mer un énorme baquet. Les hommes se saisissaient d'un balai et frottaient, pendant que l'officier arrosait le pont. « Je brossais d'avant en arrière, au point d'en avoir le dos rompu », devait dire H. Melville, « car les balais n'avaient que des manches courts, peu pratiques. »

Un équipage bien entraîné accomplissait son travail avec une tranquille efficacité. « A maintes reprises, j'eus l'occasion d'observer le calme ainsi que l'activité constante des marins », devait écrire Frances Wright, une Anglaise qui voyagea en 1818 de Liverpool à New York, à bord de l'*Amity* de la Black Ball Line. « Aucune impatience de la part du commandant, pas la moindre trace d'irritation du côté des matelots. » Sans exclure une certaine exagération romantique dans cette affirmation, il est certain que les hommes accomplissaient le plus souvent ces travaux répétitifs avec efficacité. Si par hasard un matelot rechignait à exécuter les tâches du bord ou les effectuait avec nonchalance, ses camarades le traitaient de « sojer », une déformation de « soldier », substantif désignant autrefois les soldats embarqués à bord des navires de guerre considérés comme des bras inutiles par l'équipage. En revanche, l'homme qui maîtrisait tous les aspects de sa spécialité et la pratiquait avec habileté était tout simplement appelé le « marin » et le langage de la mer ne comportait pas de plus beau compliment.

En dépit de ce travail pénible, le matelot ne manquait pas d'élégance. « Il s'habillait avec beaucoup de recherche, surtout s'il savait qu'il avait belle allure. Il portait un foulard de soie autour du cou, retenu par un os de requin soigneusement poli et travaillé. Son pantalon était de coutil blanc ; il arborait de magnifiques chaussures et un chapeau en toile goudronnée brillant comme un miroir, avec un long ruban noir flottant, qui avait tendance à s'emmêler dans la mâture. Il portait également aux oreilles des ancres d'or et une bague d'argent à un doigt, usée et polie par la manœuvre des cordages. »

Pour lutter contre l'ennui et affirmer leur cohésion, les matelots rythmaient la monotonie du travail en chantant en chœur. Il y avait des chansons propres à chaque occasion. Des mélopées lentes telles « Blow the Man Down », dans le cas d'un travail de longue haleine comme hisser la voile de perroquet, ou bien des chansons entraînantes comme « Haul the Bowline », liées à un effort brutal et rapide, quand il s'agissait de tirer sur un cordage. En pleine nuit et au cœur de l'Océan, ces chants créaient un effet irréel. « Je regardais autour de moi à la recherche de lutins », devait dire Melville. Certaines de ces chansons remontaient à plusieurs siècles. Véritable charabia pour les passagers, elles étaient cependant comprises des marins du monde entier. Parfois, l'une d'elles était reprise par un matelot qui avait le don d'y adapter des paroles de son cru évoquant la personnalité des membres de l'équipage. En rendant le travail acceptable, et même agréable, ce type d'homme devenait populaire auprès de ses camarades et de ses chefs.

Les quarts duraient généralement quatre heures ; mais, pendant ses moments de détente, le marin ne s'amusait guère. Les repas ne lui procuraient aucun agrément. Les deux principaux étaient à base de bœuf salé et de biscuit et le premier se limitait à un porridge de farine de maïs et de mélasse. S'il voulait se reposer, il n'avait que la ressource du poste avant. Il pouvait alors dormir sur sa couchette ou rêvasser assis sur son coffre, le seul bien lui appartenant en propre. Il se trouvait alors plongé dans la fumée dense des pipes, l'odeur des cirés et des corps crasseux, sous la lumière blafarde d'une lampe fumeuse. Le poste disposait parfois d'une bibliothèque. Un passager qui avait navigué en 1822 à bord du *Nestor* de la Black Ball Line avait constaté que tous les hommes exempts de service passaient leur temps à lire.

Quand se déchaînait une tempête, un cri retentissait : « Tout le monde sur le pont», et les hommes des deux quarts se rassemblaient immédiatement. Une dizaine de matelots étaient aussitôt expédiés dans la mâture, grimpant le long des haubans mouillés et avançant sur les vergues branlantes. Occupé à lutter pour serrer une voile, un matelot se comparait à «un ange du Jugement dernier entre ciel et terre». Melville raconte: «... les mains libres, un pied dans la mâture, l'autre dans le vide. La voile se gonfle comme un ballon, claque comme un coup de canon, avant de se libérer et de s'abîmer en mer». Pendant toute la manœuvre, le bâtiment tanguait et roulait abominablement. Si une vergue ou le mât de perroquet cédait sous l'action d'une rafale, leur chute pouvait entraîner celle de plusieurs hommes. Les relations en sont rares. Mais, au cours de la seule année 1853, treize marins tombèrent à la mer sur la ligne New York-Liverpool.

La solde perçue par le matelot ne constituait qu'une mince compensation aux dangers encourus et à la rigueur de leur condition. Le salaire mensuel moyen tournait autour de quinze dollars, somme dérisoire, même au début du XIXe siècle. Dès qu'ils avaient reçu leur pécule, les marins le dépensaient rapidement en alcool et en femmes dans les tavernes des ports, des deux côtés de l'Atlantique (*pages 94-95*). La plupart ne songeaient guère à leur vieillesse, et jusqu'à la création de la Maison du Marin à Staten Island, en 1833 (*page 97*), finissaient leurs jours dans les bas-fonds des ports. Le matelot de paquet était fier de son métier et de ses capacités de résistance, et c'était là sa seule véritable récompense. Un commandant pouvait prétendre que ces marins «n'auraient voulu, pour rien au monde, d'un autre travail».

S'offrait cependant une autre possiblité: celle de devenir officier. La plupart des cadres sortaient du rang. En fait, le second lieutenant bénéficiait d'une condition à peine supérieure à celle des hommes. Il avait la responsabilité de tout le gréement, et il lui arrivait de monter avec les matelots dans la mâture. Il profitait cependant d'avantages inconnus du reste de l'équipage. On s'adressait à lui avec respect, en l'appelant «maître». Il habitait à l'arrière avec le commandant et le premier lieutenant, même si, à table, il devait se contenter de leurs restes.

Le premier lieutenant, un homme d'une trentaine d'années, surveillait la cargaison. Il contrôlait le chargement et en vérifiait l'arrimage tout au long de la traversée. Il devait également connaître suffisamment de navigation pour déterminer la position du navire au sextant et au chronomètre. Il devait pouvoir aussi assurer la conduite du bâtiment en cas de défaillance du capitaine. L'application au métier constituait le meilleur moyen d'obtenir un commandement. Vers 1830, un premier lieutenant sur trois avait des chances de devenir capitaine d'un paquet. Quant aux autres, surtout s'ils avaient dépassé 35 ans, il ne leur restait guère qu'à persévérer dans leur grade, devenant des parangons de discipline, appelés les «zélés» par les hommes d'équipage.

Peu de professions au XIXe siècle apportaient autant de prestige ou l'espoir d'une fortune rapide que celle de commandant de paquet. Des deux côtés de l'Atlantique, les capitaines bénéficiaient d'un statut social élevé; ils fréquentaient des hommes d'affaires, des diplomates, des notables. William Brown, un des plus grands banquiers de Liverpool, invitait régulièrement à dîner des commandants dans un bon restaurant où l'on sert du poisson. Les grands journaux de New York soulignaient la réussite de traversées rapides et célébraient autant le

En ribote

Quand un bateau avait effectué le parcours New York-Liverpool, chaque matelot avait un mois de solde à dépenser, tout en se libérant d'un mois de tension. « Après une traversée longue et difficile, la perspective d'une nuit de ribote prenait des allures bibliques », écrivait un journaliste en 1897.

Les habitants de Sailortown (la ville du marin) ou de Fiddler's Green (le terrain des joueurs de violon), comme on appelait quelquefois le front de mer, n'étaient que trop heureux de les aider à se défouler. Avant même que le paquet n'arrive au mouillage, des racoleurs s'abattaient sur le navire, incitant les hommes à s'enrôler sur un bateau réputé plus agréable ou leur promettant des plaisirs paradisiaques. Des armateurs peu scrupuleux encourageaient leurs matelots à débarquer. Ils en retiraient des bénéfices pendant que le navire se trouvait immobilisé: moins de bouches à nourrir et des soldes réduites.

Pour attirer les marins, les quais multipliaient les annonces alléchantes. « Dancing, femmes, serveurs », écrivait le romancier H. Melville, utilisant les euphémismes à la mode pour désigner les bordels, les prostituées et les tenanciers. Les théâtres du voisinage offraient eux aussi des attractions d'une qualité douteuse.

A Liverpool, un music-hall s'était fait une spécialité. On faisait respirer à l'assistance un gaz appelé gaz hilarant, très probablement du protoxyde d'azote. Il suffisait d'en faire aspirer quelques bouffées pour plonger les gens dans un tel état d'euphorie qu'ils constituaient à eux seuls un spectacle. Des officines de prêteurs sur gages se trouvaient fort opportunément intégrées à ces lieux de plaisir. On les reconnaissait aux trois boules dorées qui surmontaient l'entrée. Le matelot complètement démuni avait la possibilité d'y laisser son pantalon, en échange de quoi il pouvait se payer encore un verre.

Après avoir épuisé les joies des cafés, les matelots pouvaient s'offrir des distractions plus durables dans les maisons de tatouage. Des artistes exécutaient sur la poitrine ou les membres de véritables œuvres d'art accompagnées de commentaires. Un grand crucifix, tatouage très recherché, offrait au marin la garantie d'une sépulture chrétienne même si son corps était rejeté sur une côte.

Les bonnes âmes qui s'empressaient de délester le marin de son argent se révélaient des amis d'un genre douteux. Quand l'homme faisait trop de tapage, ils s'empressaient de recourir à la loi. S'il se révélait insolvable, les tenanciers, menaçants et inflexibles, le livraient à un racoleur. Le malheureux pouvait alors se retrouver à bord d'un bâtiment en partance. Auparavant, il devait signer une reconnaissance de dette, laquelle était réglée par son nouveau capitaine, qui, bien évidemment, retiendrait cette somme sur sa future solde.

Pour le terrien, le spectacle du marin à terre, constamment ivre, sans un sou ou en prison, constituait une véritable source de distraction, comme le montre cette série de lithographies. D'abord éditées à Londres, ces gravures furent publiées vingt ans plus tard à Philadelphie et contribuèrent à forger de part et d'autre de l'Atlantique la réputation de Jack Tar à Sailortown.

EN VUE DU PORT. *En quête de ribote, quatre marins agitent chapeaux et mouchoirs à la vue de la taverne de la colline.*

ON JETTE L'ANCRE. *Les quatre lurons découvrent une taverne à l'enseigne du « Navire ». La patronne les accueille avec le sourire.*

EN PLEINE MER. *Sous l'action du grog, nos gaillards se mettent à danser la gigue, à la grande joie du patron de la taverne.*

LE VENT FRAÎCHIT. *Les poches sont vides ; la patronne se rembrunit, le maître de maison met le nez à la fenêtre.*

LA TEMPÊTE. *Les lascars deviennent violents. Les coups pleuvent, la vaisselle vole ; un habitué à la jambe de bois préfère s'écarter.*

LA VICTOIRE. *Le « Navire » est désemparé. Ravis, nos matelots se retirent avec deux tonnelets de grog pour mieux affronter la route.*

CALME PLAT. *Le patron, pansé, et l'officier de paix découvrent des matelots ivres morts à l'ombre de l'enseigne de la taverne.*

EN QUARANTAINE. *Un représentant de la loi conduit nos gaillards au violon, sous les yeux du personnel du « Navire ».*

navire que le capitaine. Les bons vivants fêtaient également les commandants; les enfants les suivaient dans la rue, tout en restant à distance respectueuse d'hommes aussi importants. Des passagers s'arrangeaient pour effectuer la traversée avec leur commandant préféré.

A terre, les capitaines menaient une vie fort confortable. Ceux qui habitaient New York possédaient de somptueuses résidences le long de la Batterie ou sur les hauteurs de Brooklyn, de l'autre côté de l'East River. Les commandants de passage n'hésitaient pas à descendre dans de luxueux établissements, tel le City Hotel.

Leur tenue vestimentaire correspondait à leur niveau de vie. D'après les souvenirs d'enfance de Julian Hawthorne, le fils du romancier Nathaniel Hawthorne, qui fut consul des États-Unis à Liverpool de 1853 à 1857, les commandants manifestaient un penchant pour « les cravates de couleurs vives et une imposante chaîne de montre en or; ils portaient de l'intérêt aux chaussures et à leur habillement en général. »

Si un commandant pouvait se permettre de vivre et de s'habiller en obéissant à la mode, ce n'était pas grâce à son traitement, qui ne dépassait pas 40 dollars par mois, mais parce qu'il touchait une part des bénéfices du paquet. Il recevait ainsi une première prime de 5 p. cent sur le fret de la cargaison, à laquelle s'en ajoutait une autre de 25 p. cent sur le prix des billets des passagers. Il percevait encore le plus souvent le montant des frais d'envoi du courrier. Avec ces différents avantages, son revenu annuel pouvait atteindre la somme rondelette de 5 000 dollars, soit environ trente fois la solde d'un marin.

Il méritait bien l'argent qu'il gagnait. Quelles que fussent les responsabilités qu'il laissait à ses subordonnés, c'est lui qui, en fin de compte, était à même d'apprécier les possibilités de son bateau et la vitesse qu'il pouvait en exiger. En cherchant à battre d'autres capitaines, ou même son propre record, il devait avoir le cran de mettre le maximum de toile possible, et parfois une voile pouvait se déchirer. Un commandant ne pouvait cependant pas courir le risque d'infliger des avaries graves à son bâtiment. Il lui fallait prendre des décisions rapides avec une audace qui aurait pu paraître de la témérité si elle n'était accompagnée d'une extrême vigilance et d'une grande expérience.

Aucun commandant ne devait déployer une activité et une habileté supérieures à celles de Nathaniel Brown Palmer, un pur produit du petit port de Stonington dans le Connecticut, à Long Island Sound. Le jeune Nat commença à naviguer à l'âge de 14 ans. La guerre de 1812 faisait alors rage, et les jeunes de la Nouvelle-Angleterre tel Palmer prenaient un malin plaisir à forcer le blocus anglais qui s'étendait de l'extrémité orientale de Long Island à Stonington.

Après cette première expérience maritime, Nat Palmer embarqua à bord de navires chassant le phoque dans les eaux de l'Arctique et sur des bâtiments transportant le coton entre La Nouvelle-Orléans et New York. A 38 ans, il commandait le paquet *Garrick* et possédait des intérêts dans la compagnie à laquelle appartenait ce bateau.

Cette situation lui permit alors d'affirmer ses talents de marin, dans le port même de New York, non sans ostentation. A l'époque, on disposait déjà de remorqueurs à vapeur qui facilitaient l'entrée et la sortie des ports. Marin, Palmer restait fidèle aux anciennes méthodes et se refusait à toute assistance pour aborder ou quitter un quai. Alors que son navire se trouvait encore amarré, il arrivait à tribord et, au porte-voix, il ordonnait de hisser les huniers et les focs et de libérer la voile

L'hospice des vieux loups de mer

La Maison du Marin de Snug Harbor, qui dominait l'entrée du port de New York, hébergeait 200 marins.

« Ils m'ont accepté parce que j'étais infirme. On m'a rasé, lavé, donné une chambre aussi propre que la cabine du commandant d'un navire de guerre et on m'a dit : Vous y serez sain et sauf pour toujours ! » Tel est le récit d'un vieux matelot qui serait mort dans l'indigence, comme des milliers avant lui, si la Maison du Marin de Snug Harbor n'avait pas existé. Elle avait été fondée en 1833 à Staten Island grâce à l'argent réuni par l'armateur John Randall.

A Snug Harbor, les matelots à la retraite, ayant généralement servi sur l'Atlantique Nord, abandonnaient la rude existence des gens de mer pour un confort inattendu. Les snugs, comme on les appelait, bénéficiaient de repas copieux, dormaient dans de bons lits installés dans des chambres coquettes. L'établissement disposait d'un médecin, d'infirmiers, de salles de jeu et d'une bibliothèque, avec les plus récents journaux. Les pensionnaires pouvaient même gagner de l'argent, jusqu'à 75 dollars par an, en tissant des hamacs ou en fabriquant des maquettes de bateaux.

S'ils buvaient trop, à l'intérieur ou à l'extérieur, ils étaient frappés d'interdit, c'est-à-dire privés de leur ration de tabac, de l'accès à la bibliothèque, de la possiblité de gagner de l'argent, et également de sortie pendant plusieurs jours. Des sanctions du même ordre menaçaient ceux qui refusaient de se rendre à la chapelle. La plupart des hommes se pliaient à cette légère discipline. Le jour où le romancier Theodore Dreiser rendit visite à un vieux marin de 83 ans, il lui demanda de lui raconter ses aventures en mer. Le vieux matelot répondit : « Je pourrais, mais je préfère vous parler des treize années de paix que j'ai connues ici. »

d'artimon. Le vent allait gonfler les voiles et, au moment où les amarres commenceraient à se tendre, il ordonnerait de les larguer. Le bateau s'avancerait alors dans la rivière et l'arrière s'orienterait en direction du courant sous l'action conjuguée des huniers et des focs. Quand le navire se fut éloigné du quai, il mit le cap en direction de la mer. Les mâts se couvrirent alors de toile et, au moment où la foule faisait entendre ses cris d'adieu, le capitaine Nat dirigea son bateau vers la baie. Au retour, il procéda à la manœuvre inverse.

L'endurance de Palmer égalait ses qualités de marin. Un de ses admirateurs eut l'occasion de décrire son comportement au cours d'une traversée New York-Liverpool. Palmer resta jour et nuit sur la dunette, donnant ses ordres, adressant des encouragements à l'homme de barre et aux matelots juchés dans la mâture. De temps en temps, il s'asseyait dans un fauteuil placé le long du bastingage, pour déjeuner et boire du café, à l'arrivée du serveur, ou prendre quelques instants de repos. Il ne descendait pratiquement jamais et restait constamment en contact avec la mer et avec son navire pendant toute la traversée.

Avant l'entrée en scène des paquets et le culte de la vitesse, les navires avaient tendance à flâner durant la nuit ; ils amenaient les voiles et ne conservaient qu'un minimum d'hommes de veille. Le comportement des paquets était totalement différent. Pour un commandant, « c'est pendant la nuit que l'on peut essayer ses muscles et effectuer des passages rapides. Les meilleurs officiers que j'ai commandés étaient ceux qui restaient le plus souvent sur le pont après la tombée de la nuit et qui ne comptaient que sur eux-mêmes pour porter de la toile. » Dès qu'il s'agissait de vitesse, Palmer devenait inégalable. Sur le parcours New York-Liverpool, il effectua, en 1840, la traversée en 15 jours, un record sur ce trajet qui ne devait jamais être battu par un autre paquet.

Mener un navire au maximum, sans aller même jusqu'à la passion de Nat Palmer, entraînait une telle tension qu'un capitaine ordinaire ne durait pas plus de cinq ans sur l'Atlantique Nord. Si un officier montrait des signes de fléchissement en ne respectant pas l'horaire ou en ne réussissant plus à battre des records, les armateurs le relevaient de son commandement. En fait, beaucoup se retiraient volontairement ; ils profitaient de leur fortune ou se livraient à diverses activités, inspectaient des navires pour le compte des compagnies d'assurances ou servaient de conseillers pour les chantiers de construction.

Il y eut cependant un exemple de longévité exceptionnelle avec le capitaine Charles H. Marshall, un être bourru, agressif, à la mâchoire volontaire, qui resta 27 ans à la mer, dont 12 comme commandant de paquet. Marshall était issu d'une famille de pêcheurs à la baleine du Nantucket. Mais la guerre d'Indépendance avait mis fin à cette activité, et quand Marshall naquit dans une cabane de bois de 5 mètres sur 6 en 1792, son père exploitait une centaine d'acres dans le village de Easton, au nord de New York. A 15 ans, muni d'un viatique de 13 dollars, d'un coffre de marin, d'un jambon, d'une miche de pain, d'une tarte et de quelques biscuits, Marshall renouait avec la tradition maritime familiale en embarquant à bord d'un baleinier du Nantucket.

Neuf ans plus tard, à 24 ans, il obtenait le commandement du *Julius Caesar*, un navire de commerce de 350 tonnes, armé par un équipage de douze hommes. Transportant du coton de Charleston à Liverpool, il décida de battre la *Martha*, qui avait appareillé du même port vingt-quatre heures plus tôt, sous les ordres du capitaine Beau Glover, une des célébrités de l'époque et un remarquable homme de mer. Ce défi intervenait avant la création du service des paquets. Mais Charles H. Marshall ne pouvait résister à la tentation de faire la preuve des performances qu'un navire était susceptible de réaliser.

On était au mois de mars, et l'Atlantique se montrait hargneux. Le capitaine Marshall ordonna à ses hommes de mettre toute la toile et il réussit à atteindre l'entrée du canal Saint George, entre l'Irlande et l'Angleterre, en 18 jours. La brume sévissait sur la Manche. Mais il continua à maintenir le maximum de voile, entrant dans l'embouchure de la Mersey le 22e jour, avec 18 heures d'avance sur la *Martha*. Ravis de la réputation de vitesse dont venait de bénéficier leur navire, les armateurs du *Julius Caesar* offrirent au capitaine un costume sorti de chez l'un des meilleurs tailleurs de Londres.

Six ans plus tard, en 1822, Marshall entra à la Black Ball Line, comme commandant de paquet. A ce titre, il navigua sur l'Atlantique jusqu'en 1834. Il prit alors le contrôle financier de la compagnie et s'établit à New York pour en assurer la direction. Marshall avait quatre frères engagés dans la navigation maritime, offrant eux aussi une carrière aussi longue. Au cours d'une réunion familiale à Easton, en 1851, ils calculèrent qu'à eux tous ils avaient passé 97 ans à la mer et effectué plus de trois cents traversées de l'Atlantique. A lui seul, Charles avait acquis une fortune de 150 000 dollars, démontrant une fois de plus les possiblités qui s'offraient à un commandant de paquet.

Une fois au moins, un capitaine n'eut pas à lutter contre les éléments mais contre son propre équipage. Personne, pas même un capitaine populaire, n'était à l'abri de ce genre d'incident. Des équipages composés de durs pouvaient éprouver un malin plaisir à savoir jusqu'où ils pouvaient aller avec un commandant pourtant décidé. En cas de mutinerie, le capitaine devait utiliser toutes les ressources mises à sa disposition: l'humour, la persuasion, l'insistance, les menaces et, en dernier ressort, la force. L'affaire devait se solder par sa victoire. Mais un équipage mutiné pouvait conduire les choses à la limite de l'affrontement.

L'année 1832 fut le théâtre d'une mutinerie qui par sa conclusion tient une place exceptionnelle dans les annales de l'histoire maritime. Elle se produisit à bord du paquet *Sheffield*, alors qu'il se trouvait mouillé dans la Mersey, à la veille d'appareiller. A la suite d'un remue-ménage dont les détails restent obscurs, l'équipage se révolta, terrorisa les passagers, qui s'enfuirent dans leurs cabines où ils se barricadèrent. Comme on l'apprit par la suite, le capitaine était descendu à terre, pour régler des affaires de dernière minute. Mais, heureusement pour lui et pour le bateau, il reçut l'aide de la personne la plus inattendue qui

Le Garrick *de 895 tonnes de la* Dramatic *réduit sa voilure à l'entrée du port de Liverpool. Baptisé le* Rapide Garrick, *il devait battre un record d'est en ouest en 18 jours. Au cours d'une violente tempête en 1841, le bâtiment s'échoua au large de Deal (New Jersey), gravement endommagé. Remis en état, il reprit son service sur l'Atlantique pendant douze ans.*

se trouvait à bord. Il s'agissait de sa propre femme âgée de vingt ans. Un pistolet dans chaque main, elle s'élança sur le pont, menaçant d'abattre sur place le premier matelot qui oserait faire un mouvement. Sidérés par l'apparition de cette Annie Oakley, les hommes restèrent pétrifiés. Le commandant arriva quelques instants plus tard et prit l'affaire en main. Il renvoya les mutins et enrôla un autre équipage.

Une mutinerie beaucoup plus importante se produisit en 1859 à bord du *Dreadnought*, une splendide unité de 1 400 tonnes, véritable dinosaure de l'époque. Ce navire se trouvait sous les ordres de Samuel Samuels, un homme si affable que les passagers procédaient à leur réservation une saison entière à l'avance pour être sûrs d'obtenir une cabine. Les matelots aussi aimaient bien leur capitaine. Mais ils ne tardèrent pas à surnommer le *Dreadnought* « navire sauvage de l'Atlantique », en raison des traversées impétueuses qu'ils effectuaient sous son autorité. Samuels était si sûr de pouvoir respecter ses horaires qu'il avait fait à ses armateurs une proposition exceptionnelle. Il était prêt à renoncer à ses primes sur les cargaisons si elles n'étaient pas livrées à temps. Autant qu'on le sache, cette proposition ne lui coûta pas un sou. Il effectuait des traversées si rapides que ses collègues prétendaient qu'il connaissait « une route secrète entre New York et Liverpool ».

La bible des marins

Bowditch est assis à son bureau sous un buste de Pierre Laplace.

Dans l'histoire de la navigation maritime, aucun homme ne fournit, pour dominer les océans, un effort comparable à celui de Nathaniel Bowditch, un Américain de génie, qui simplifia les méthodes destinées à déterminer la longitude et réalisa le premier manuel de navigation astronomique réellement utilisable. Avant Bowditch, naviguer en observant le soleil, la lune et les astres était un art difficile et incertain. Après la parution de son œuvre magistrale, le problème put être maîtrisé par tous les marins.

Bowditch naquit en 1773 dans la ville maritime de Salem, au Massachusetts. C'était le fils d'un pauvre tonnelier. Il entra chez un entrepreneur de marine à douze ans. Mais il trouva le temps d'apprendre par lui-même les mathématiques, l'astronomie et le latin, qu'il jugeait indispensable pour la lecture des ouvrages scientifiques. Ce fut la première des 24 langues qu'il devait apprendre au cours de son existence.

A 22 ans, Bowditch, qui affichait une allure frêle et une calvitie précoce, embarqua à bord d'un navire comme secrétaire. Il allait effectuer cinq grands voyages commerciaux, le dernier en qualité de commandant. L'expérience acquise à la mer porta immédiatement ses fruits. A cette époque, la méthode destinée à déterminer la longitude reposait sur des calculs interminables basés sur les variations lunaires. Bowditch étudia cette méthode, en élimina

Comme il le raconta lui-même dans des mémoires très colorés, *From the Forecastle to the Cabin* (Du château avant à la cabine), Samuels était arrivé au poste de capitaine, à la force du poignet, en sortant du rang. « Entre une belle-mère et moi, il y avait une telle incompatibilité d'humeur qu'une maison de la taille du Capitole à Washington n'aurait pas été assez grande pour nous abriter ». Aussi décida-t-il « de partir à l'anglaise » à l'âge de onze ans, et il embarqua sur une goélette comme garçon de cabine et cuisinier. Cette fugue se produisit en 1833. La mer lui réussit puisque dix ans plus tard, à 21 ans, il était commandant et pratiquement propriétaire d'un voilier chargé du transport du sucre raffiné entre Amsterdam et Gênes.

Dans les années 1840, au moment où les paquets se trouvaient à leur apogée, Samuels faisait figure de vétéran expérimenté dans l'art de conduire un navire. Il se rendait parfaitement compte des risques courus par les matelots, pour avoir fait le même métier. Au cours de sa carrière, il avait connu de nombreux incidents : il était tombé à la mer au large des Bahamas en ferlant une voile ; il avait affronté un typhon en mer de Chine ; il s'était échoué aux Dardanelles avant de combattre des pirates en Méditerranée. Il bénéficiait encore de la réputation d'un tireur d'élite de chaque main.

les erreurs et mit au point des tables qui, simplifiant les calculs, permettaient de gagner du temps.

Au cours de ses navigations, il confronta ses observations sur la longitude avec les cartes et les tables alors en usage, et surtout le *Practical Navigator*, un manuel courant rédigé par le mathématicien anglais John Moore. Il découvrit dans ce livre plus de huit mille erreurs, dont certaines se trouvaient à l'origine de naufrages.

Sur les conseils d'un éditeur du Massachusetts, il publia une version révisée. Indépendamment des tables revues et corrigées, cette édition comprenait les cartes du ciel nocturne, des renseignements sur les vents et les courants, ainsi qu'un glossaire maritime. Appelé tout simplement le *Bowditch*, cet ouvrage connut un énorme succès. Remis à jour à plusieurs reprises (Bowditch vérifia lui-même neuf rééditions), il est encore en usage.

Bowditch ne limita pas son talent à la navigation astronomique. Il participa à l'activité de compagnies d'assurances à Boston et Salem et écrivit sur des sujets extrêmement variés, depuis la trajectoire des comètes jusqu'aux ports du Massachusetts. Il passa les dernières années de sa vie à traduire l'œuvre du grand astronome français Laplace. A l'annonce de sa mort, en 1838, tous les bâtiments se trouvant mouillés dans les ports du monde entier mirent leur pavillon en berne.

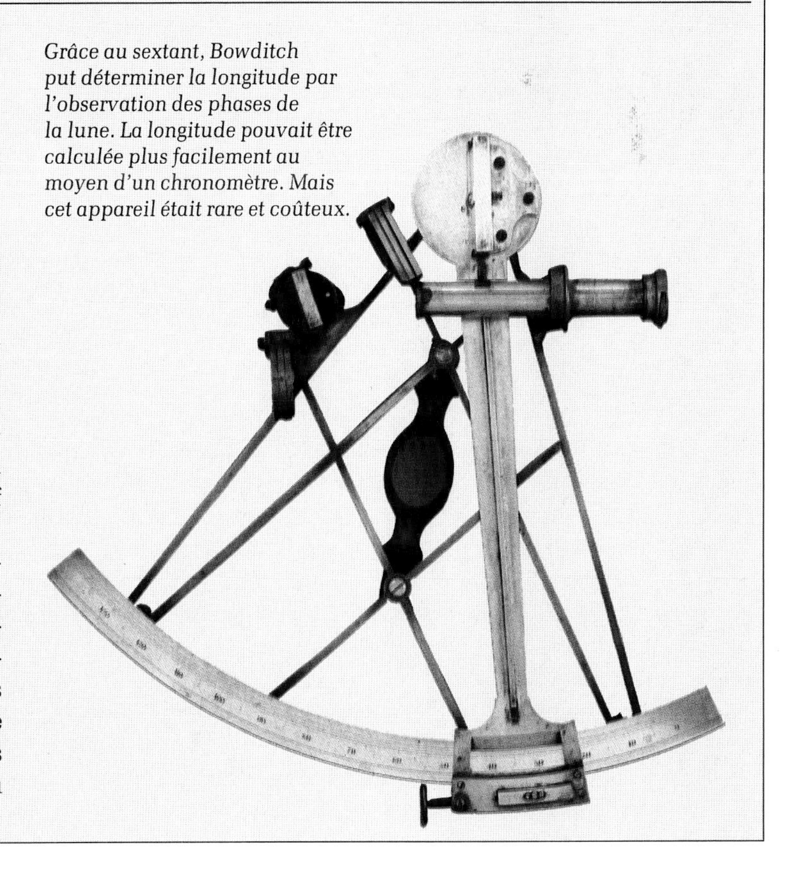

Grâce au sextant, Bowditch put déterminer la longitude par l'observation des phases de la lune. La longitude pouvait être calculée plus facilement au moyen d'un chronomètre. Mais cet appareil était rare et coûteux.

Le commandement du *Dreadnought* représentait pour Samuels le couronnement de toute son existence. De fait, la Red Cross Line, fondée en 1843, disposait d'un navire à sa mesure. Quand il appareilla avec le *Dreadnought*, il emmena sa femme, un privilège accordé aux commandants de paquet mais que la plupart n'utilisaient pas. Par courtoisie à son égard et à sa sensibilité, il interdit de jurer à bord (un ordre bien difficile à faire respecter); il introduisit le rite de la prière du soir et fit arborer les pavillons des États-Unis et de la Red Cross Line pendant les offices du dimanche. En général, les pavillons des navires de commerce demeuraient dans les coffres, sauf au moment où un autre bateau faisait son apparition. «Pourquoi les pavillons ont-ils été hissés, alors qu'il n'y avait aucun navire en vue?» demanda un jour un passager. Mme Samuels lui répondit avec douceur: «Dieu les voit.»

Le capitaine Charles H. Marshall, qui commanda trois navires de la Black Ball Line, traversa l'Atlantique 94 fois. Retraité à 42 ans, il investit des capitaux dans la société et en assuma la direction pendant 30 ans.

De telles manifestations religieuses ne pouvaient avoir aucune influence sur de rudes matelots. Mais Samuels aimait la dureté de ses hommes et il était fier de son aptitude à les tenir en main. «Je n'ai jamais rejeté un équipage ou un matelot pour des raisons de caractère difficile. J'ai le plus souvent trouvé parmi ces hommes les marins les plus durs et les meilleurs. J'ai fréquemment embauché un certain nombre de "quarantièmes sanglants", comme ils s'appellent eux-mêmes». Les quarantièmes sanglants constituaient une bande de quarante matelots de Liverpool qui avait longtemps navigué ensemble et leur camaraderie dans l'existence difficile des paquets en avait fait des fiers-à-bras. Leur chef était un type particulièrement endurci du nom de Finnigan. Ils prétendaient avoir tué un capitaine à son instigation au cours d'une traversée et ils allaient donner à Samuels l'occasion de subir la plus sévère épreuve de sa carrière.

Le 11 juillet 1859, le *Dreadnought* se trouvait à l'ancre à Liverpool avec un chargement de barres de fer et un certain nombre d'émigrants allemands. Finnigan et les quarantièmes sanglants faisaient partie de l'équipage. Le capitaine Samuels avait été prévenu de leur intention de se mutiner. Dans une taverne du port, on avait entendu Finnigan inciter ses camarades «à couper les ailes à ce sale vieux *Dreadnought* et à faire prendre un bain à son commandant».

Avant la fin de la journée, Samuels comprit que la révolte était imminente. A minuit, au large de Queenstown, l'homme de barre négligea d'exécuter l'ordre «Tout droit, la barre», à la grande satisfaction de Samuels. «Le ton insolent de sa voix m'amena à me précipiter sur lui», écrivit le commandant. «Il voulut sortir son couteau à cran d'arrêt. Comprenant le danger, je le frappai et l'envoyai rouler, totalement inconscient, à gauche de la barre. Mon chien, Wallace, s'occupa alors de lui. Il lui plaça les pattes de devant sur la poitrine. Je lui arrachai le couteau et appelai les officiers pour le ligoter. L'homme fut ensuite emmené dans la chambre arrière et soigneusement enfermé.»

Samuel Samuels passa la barre au troisième lieutenant, un certain Whitehorn avec qui il avait voyagé un bon nombre d'années. Puis, le capitaine ordonna à l'équipage de se tenir prêt et de hisser la voilure de beau temps. Personne parmi l'équipage ne bougea.

A ce moment, la nouvelle de l'incident s'était répandue parmi les passagers. Par mesure de prudence, Samuels leur ordonna de rester en bas. Il gagna ensuite sa cabine, s'arma de pistolets et d'un poignard, et remonta sur le pont, toujours escorté de son chien.

Il passait devant le charnier près de la porte de la cuisine, lorsque les matelots se précipitèrent vers lui, armés de couteaux: « C'était le moment », devait dire Samuels, « de leur prouver que le courage moral était supérieur à la force brutale. Un pistolet dans chaque main pointé vers la tête de ceux qui étaient le plus proches, le poignard au côté, je restai là, totalement immobile. Les hurlements des femmes et des enfants dans l'entrepont, s'ajoutant au vacarme qui régnait sur le pont, dépassaient toute description. Aucun des mutins n'osa s'approcher à moins de quatre mètres, sachant que le moindre pas en avant équivaudrait à la mort. » Mais Finnigan, dénudant sa poitrine, mit Samuels au défi de lui tirer dessus, le traitant « d'une appellation injurieuse ».

Samuels tint bon, et des deux côtés, on se mit en état de soutenir un siège. Le commandant ordonna de ne pas servir de nourriture aux mutins. Durant toute la nuit, il arpenta le pont, en compagnie de son chien Wallace et des trois officiers.

Au moment où la cloche piquait sept heures (huit heures du matin), Samuels effectua un nouvel appel à la raison, sans aucun résultat. A midi, le vent fraîchit et il cria d'une voix tonitruante « Amenez les royals », c'est-à-dire les voiles de beau temps. Un retentissant « Va au diable ! » répondit à cet ordre.

Avec trop de toile, le navire filait à douze nœuds; son étrave plongeait dans les lames et des embruns jaillissaient jusqu'au-dessus de la tête du capitaine. Avec l'aide de ses officiers, Samuels aurait pu tenter d'amener les voiles. Cependant, il n'osa pas. Quatre hommes se seraient ensuite trouvés incapables de les hisser seuls. Sur un navire de 1 400 tonnes, cette manœuvre exigeait une douzaine de matelots.

Le lendemain matin, les hommes privés de déjeuner commencèrent à montrer des symptômes de fléchissement. Ils proposèrent de cesser leur révolte si on commençait par leur donner à manger. « Travaillez d'abord, vous mangerez ensuite », répondit le capitaine. Ils refusèrent la proposition et le siège se poursuivit.

Les passagers d'origine allemande, confinés dans l'entrepont, n'avaient aucune idée de l'origine de l'affaire. Ils trouvaient que le commandant se montrait trop dur avec ses hommes. Dans la journée, une délégation se présenta et demanda à Samuels de donner un peu de nourriture aux matelots. Le capitaine refusa. Il leur adressa un avertissement. « S'ils s'emparent de moi, ils saborderont le bateau, après avoir commis les pires outrages sur celles auxquelles vous tenez le plus ; à la faveur de la nuit, quand vous serez endormis, les écoutilles seront condamnées et le navire coulé, alors qu'ils s'enfuiront dans les embarcations ». Cet appel à la prudence calma tous les passagers.

Le soir du second jour, 56 heures s'étaient écoulées sans le moindre repos pour le commandant, et les officiers et les mutins n'avaient rien mangé. Samuels décida alors d'enrôler les passagers. Il se rendit dans le poste arrière et leur demanda de l'aider à réprimer la mutinerie.

D'après son récit, ils répondirent comme un seul homme : « Donnez-nous des ordres, capitaine, et nous obéirons. » Samuels arma rapidement dix-sept passagers avec des barres de fer prélevées dans la cargaison. Il en plaça quatre en embuscade derrière la cage aux porcs et disposa les autres en différents points stratégiques du pont.

La nuit s'écoula dans un silence oppressant; Samuels attendait que les mutins se démasquent. Vers minuit, alors qu'il se tenait sur la dunette, son fidèle ami Wallace se mit brutalement à grogner. Deux hommes avaient réussi à se glisser jusqu'au cabestan, à moins de six

Le canal du lac Érié

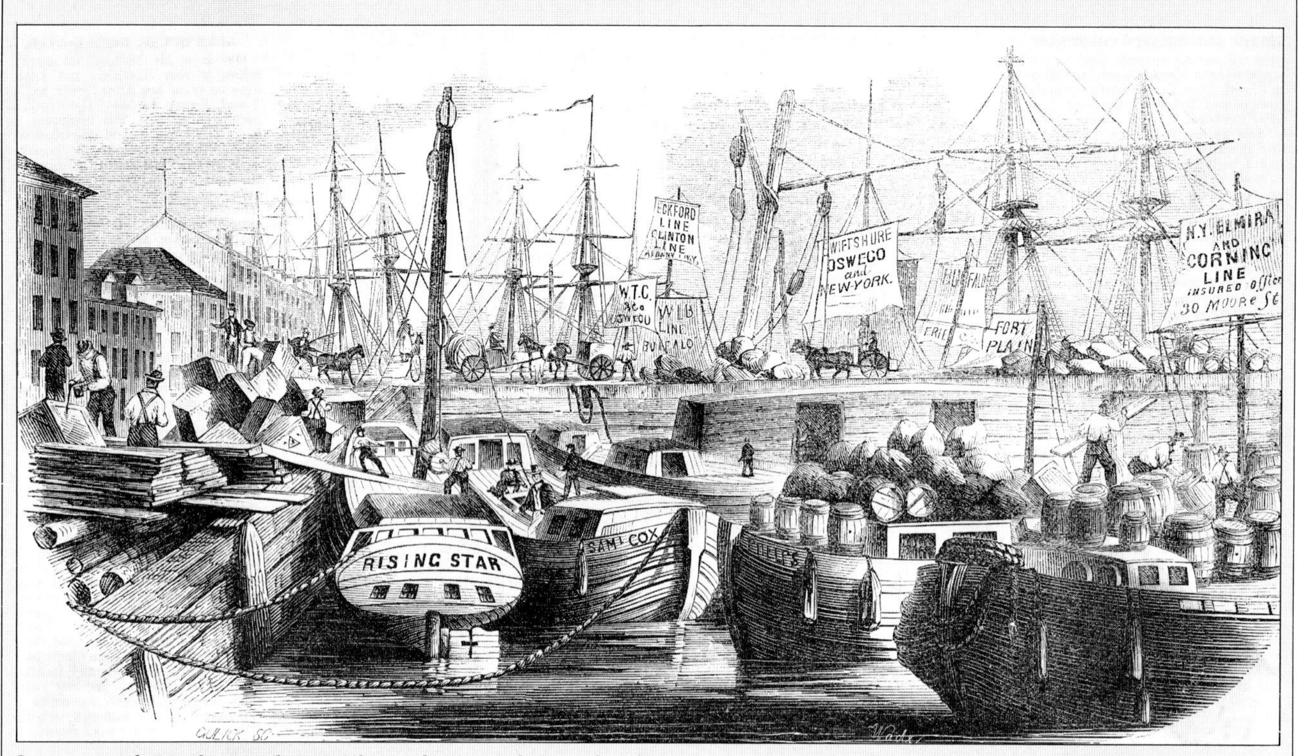

Sur un quai de Manhattan, des péniches embarquent des marchandises qui seront remorquées sur l'Hudson jusqu'à Albany.

Un an avant la mise en service des paquets sur l'Atlantique débutèrent les travaux de creusement du canal Érié, une voie d'eau intérieure qui allait ouvrir le trafic océanique. Le canal avait pour but de débloquer l'Ouest. Il joindrait Buffalo, sur les Grands Lacs, à Albany, sur l'Hudson, offrant ainsi à New York un énorme hinterland commercial qui couvrirait près de la moitié du continent.

L'idée de creuser un canal en amont de New York s'était fait jour dès 1800. Mais les difficultés étaient énormes. Plus de 500 kilomètres séparaient Albany de New York, avec d'immenses étendues de marécages et de forêts. L'ouvrage entraînerait la construction d'écluses, pour neutraliser une dénivellation de 175 mètres, ainsi que d'aqueducs destinés à franchir le cours de plusieurs rivières.

Le projet commença à faire l'objet d'une étude sérieuse quand le maire de New York, DeWitt Clinton, en démontra l'intérêt économique dans des lettres envoyées aux journaux et dans une pétition adressée à l'assemblée de l'État. En 1817, cette assemblée accepta de fournir une couverture financière et, pendant les huit années qui suivirent, une armée de plusieurs milliers d'hommes s'attela à la réalisation de l'entreprise. A l'achèvement du canal, en 1825, Clinton effectua le voyage inaugural de Buffalo à New York, où il vida dans l'Atlantique un tonneau d'eau du lac Érié, geste «symbolisant le mariage des eaux».

L'union se révéla singulièrement féconde. Rien que la première année, 218 000 tonnes de cargaison empruntèrent le canal, et 25 ans plus tard 3 076 617 tonnes. Depuis les régions situées à l'ouest du lac Supérieur, les cultivateurs expédiaient par eau des céréales, du bois, du whisky, du bétail à destination des marchés de la côte est ou de l'Europe. Grâce à la vente de ces produits, les fermiers de l'Ouest purent se permettre d'importer des objets fabriqués depuis l'autre côté de l'Atlantique.

Indépendamment du fret, des dizaines de milliers d'émigrants suivirent le même chemin. Chaque jour, des centaines d'hommes débarquaient à New York; et nombre d'entre eux, entassés à bord de chalands, remontaient l'Hudson jusqu'au canal. Le trafic était devenu si intense que les gens qui habitaient le long du canal «finissaient par croire que toute l'Europe arrivait dans le pays», suivant la formule d'un journaliste de 1847.

Après 1850, le trafic du canal commença à décliner au profit de la voie ferrée qui offrait des liaisons plus rapides. Il n'en avait pas moins dépassé les rêves les plus fous de ses promoteurs. En dix ans, les péages avaient largement remboursé l'investissement initial. Il avait fait de New York le port le plus important de la côte est.

ou sept mètres. En réalité, ils demandaient à se rendre et avertirent même le capitaine que d'autres matelots avaient projeté de lancer une attaque contre la cuisine, dans la matinée.

A l'aube, alors que Samuels accompagné de Whitehorn et de Wallace inspectait le côté droit de la cuisine, le chien recommença à grogner. Aussitôt, deux hommes brandissant des couteaux se précipitèrent sur Samuels. Le commandant pointa son pistolet en direction d'un des matelots, tandis que Wallace saisissait l'autre à la gorge.

Les autres mutins s'élancèrent à leur tour, mais ils se heurtèrent aux Allemands brandissant des barres de fer. Les bandits se replièrent vers l'avant sur le côté droit du navire, tandis que Samuels, toujours son pistolet à la main, criait: « Mort au premier qui ose avancer! Je vous donne une minute pour balancer vos couteaux par-dessus bord! »

« Vous serez le premier à y aller, vieux bigot », s'écria Finnigan. Mais il avait perdu le soutien de ses camarades. L'un après l'autre, les mutins jetèrent leurs couteaux. Samuels exigea que Finnigan vienne à résipiscence. Mais l'homme refusa. Aussi, le commandant l'envoya d'un coup de poing s'abattre sur le château avant.

Quand Finnigan reprit conscience, Samuels l'avait fait jeter dans un véritable cul-de-basse-fosse, une cellule existant sur tous les navires et réservée aux hommes punis et aux fortes têtes. « Moins d'une demi-heure plus tard », devait raconter Samuels, « Finnigan demanda grâce, prêt à dire ou faire n'importe quoi pour être libéré de ses fers. » A ce moment, Samuels venait d'ordonner au cuisinier de distribuer du café à tout l'équipage; il avait également mis les hommes au travail en leur ordonnant de nettoyer la dunette. Devant tout le monde, et toujours d'après le récit du commandant, Finnigan aurait déclaré: « Capitaine, j'en ai assez. Cet aveu ne fait cependant pas d'un homme un poltron quand il a rencontré son maître. »

De fait, les marins n'admiraient rien de plus qu'un commandant résolu. Dès que le navire eut accosté, les ex-mutins se rassemblèrent sur le pont, leur chapeau à la main. Ils s'approchèrent de Samuels afin de lui rendre hommage. L'affaire méritait une petite allocution et Samuels n'était pas homme à se dérober. « Croyez-moi, j'aurai toujours confiance en vous maintenant. Je n'avais jamais eu ni même jamais pensé avoir un équipage composé de meilleurs matelots. » D'après le récit du commandant, les hommes, quittant le *Dreadnought*, auraient répondu par un seul mot: « Que Dieu vous bénisse, capitaine. »

Ainsi se termine une histoire qui, en dépit de ses aspects peu édifiants, traduit la force de volonté et l'art de conduire les hommes que les lignes de paquets exigeaient de chacun des commandants.

A l'époque du capitaine Samuels, les paquets, avec les horaires établis à l'avance, étaient devenus depuis longtemps déjà une véritable institution dans le commerce atlantique. Cette mutation n'avait demandé qu'une dizaine d'années. Les négociants et les passagers avaient fini par s'habituer au système. En 1828, les frets concernant les cargaisons débarquant à New York constituaient un apport suffisant pour répondre aux dépenses du gouvernement fédéral américain. Mais les paquets apportaient autre chose que les bénéfices des armateurs ou les revenus que le gouvernement pouvait en tirer. En respectant leurs horaires, en dépit de tous les traquenards de l'Atlantique, ces bateaux avaient modifié les règles du transport maritime.

Le plus grand havre du monde

Des pavillons claquent au vent sur la colline de l'observatoire de Bidstone, à la sortie de Liverpool. Ils étaient hissés à l'arrivée des navires, à l'entrée de la Mersey.

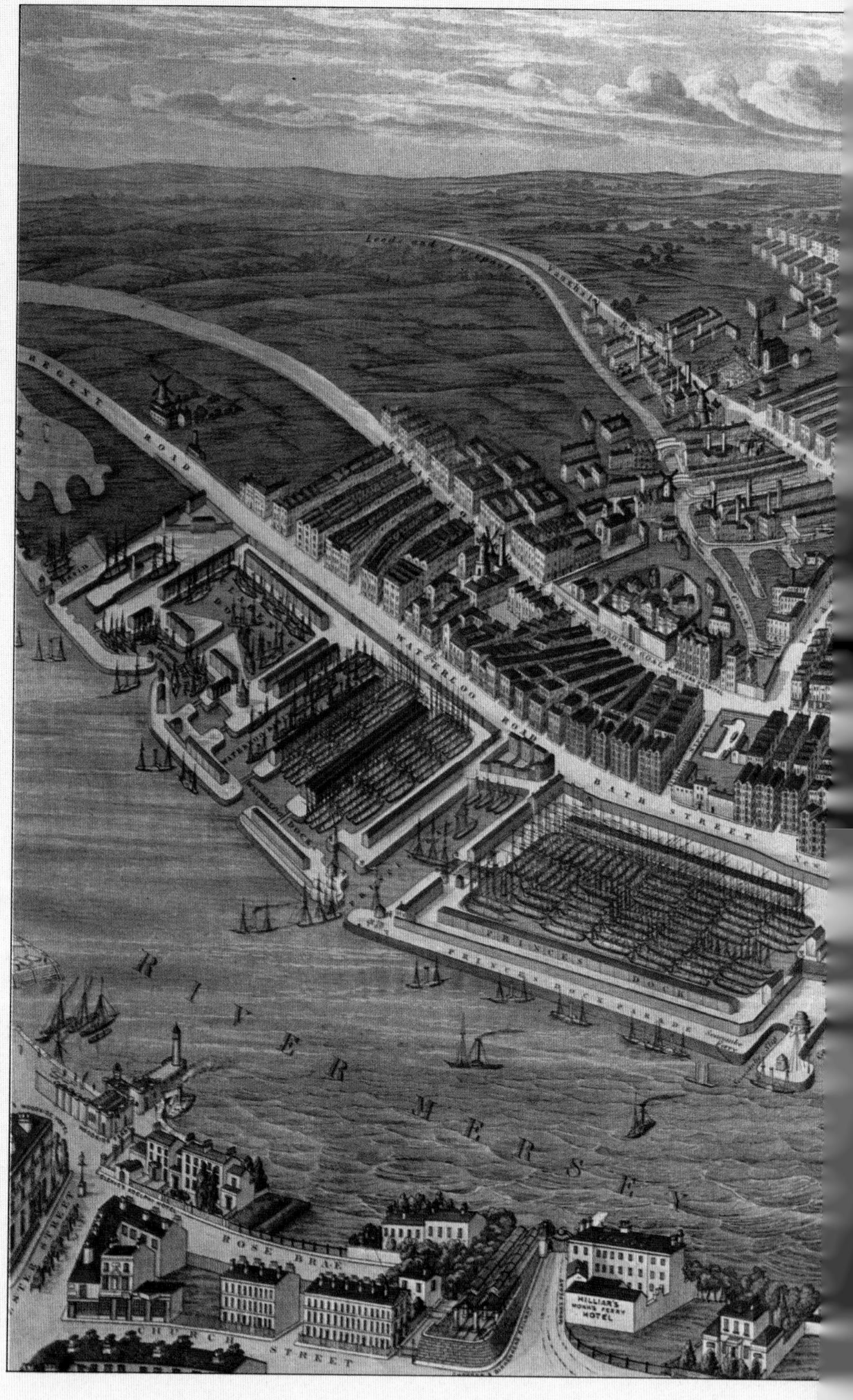

«Les marins aiment Liverpool», écrivait le romancier américain Herman Melville après avoir visité le port comme simple matelot à bord d'un paquet en 1839. «Ils y trouvent leur paradis». Les bordels et les dancings y fleurissaient de tous côtés, ainsi que les «palais du gin», spécialisés dans les spectacles les plus libidineux. Melville n'était pas loin de considérer cette ville comme l'antichambre de l'Enfer: «Elle était infestée d'une véritable vermine qui ne cherchait qu'à exploiter les marins.»

En tout cas, le marin qui traversait l'Atlantique au début du siècle avait toutes les chances d'y débarquer, pour la bonne raison que les installations portuaires, qui couvraient 800 hectares sur la Mersey, dépassaient tout ce que l'on trouvait ailleurs. Cet ensemble était l'œuvre d'un homme, Jesse Hartley, un ingénieur qui devait consacrer 36 ans de sa vie au service de la ville. De 1824 à 1860, il avait tracé les plans de 28 nouveaux docks. Il les avait dotés de ponts tournants permettant l'entrée des navires et le passage des piétons et des voitures le long du front de mer (*pages 108-109*). Ces docks se trouvaient bordés de magasins à l'épreuve du feu où les marchandises pouvaient être stockées et protégées du vol en attendant d'être transférées. Hartley avait également fait installer un système télégraphique pour faciliter les opérations des négociants.

La plupart des aménagements de Liverpool concernaient le commerce maritime. Toutefois, l'intérêt des matelots n'avait pas été négligé. Vers 1850, des hôtels, des hospices et des églises avaient été construits pour eux. En dépit de ces efforts pour aider Jack Tar, un abîme de tentations subsistait toujours. Rien qu'en ce qui concerne les débits de boissons, Liverpool en comptait plus de 2000 en 1840, probablement la plus forte densité au monde.

Des centaines de voiliers mouillent dans les docks le long de la Mersey sur cette vue panoramique, datant de 1847. Trois cents navires arrivaient parfois en une seule marée.

Des marins en bordée discutent près de l'une des portes commandant les ponts tournants construits sur les quais de Liverpool par Jesse Hartley. Des gardiens notaient l'entrée et la sortie des navires dans les docks et manœuvraient les câbles qui faisaient pivoter les ponts et permettaient le passage des bateaux.

La Maison des Douanes de Liverpool domine un quai où des dockers viennent de procéder au mouillage d'un paquet. Au cours du deuxième quart du XIXe siècle, les revenus des douanes, près de deux millions de livres par an, finançaient les installations.

Des paquets s'apprêtent à décharger leur cargaison dans les magasins d'un dock de Liverpool. Ce type de bâtiment, à l'épreuve du feu, construit en brique et en fer, offrait l'avantage de frais d'assurance réduits.

Construite en 1846, la Maison du Marin, comme de nombreux bâtiments, était destinée « à améliorer les conditions de vie des marins anglais et à les préserver des influences corruptrices. » Malheureusement, la plupart des gérants faisant fi de cet idéal, ces immeubles ne tardèrent pas à devenir sales et surpeuplés.

Trois bâtiments appartenant à l'Hôpital des Marins dominent une place de Liverpool. Cet asile pour les vieux marins était connu sous le nom de « sixpenny hospital ». Tous les matelots arrivant dans le port devaient verser une contribution de six pence, prélevée sur leur solde, pour son entretien.

Devant la Chapelle du Marin, navire transformé en lieu de culte en 1826, un marchand exhibe ses produits, tandis que des élégants et élégantes de Liverpool se promènent. Cette église pouvait accueillir des centaines de fidèles, mais peu s'y recueillaient.

Chapitre 4

Une route semée d'écueils

ar la nature même de leur trafic, les commandants de paquet se trouvaient contraints de prendre les risques que les autres marins s'efforçaient d'éviter. La régularité de l'horaire et une durée de traversée réduite constituaient les atouts maîtres de ces bateaux. Quant aux armateurs, ils ne pouvaient conserver un capitaine susceptible de retarder l'appareillage en raison du temps ou incapable de solliciter son navire au maximum. Ces règles impératives de régularité et de vitesse, appliquées sur l'un des océans les plus dangereux du monde, conduisaient souvent à des tragédies. On en eut le pressentiment dès le départ. Quand la mer engloutit le premier paquet, elle le fit avec une violence toute biblique. Le sort dramatique de l'*Albion*, en 1822, appartenant à la Black Ball Line, constituait le revers des liaisons sur l'Atlantique nord, la lugubre rançon de profits excessifs.

Quand l'*Albion* appareilla du port de New York le 1er avril, on pouvait espérer une traversée paisible. Ce bâtiment de 434 tonnes, étudié pour naviguer sur des mers difficiles, avait subi une série de transformations. Il était équipé de boulons métalliques destinés à tenir les couples aux barrots du pont. En trois ans de service, l'*Albion* avait connu plusieurs traversées record. Le bâtiment n'avait enregistré qu'un seul mécompte. En 1821, il s'était échoué près de Liverpool. Mais il avait suffi de décharger une partie de la cargaison et d'attendre le retour de la marée pour qu'il se dégage et reprenne sa route.

Le commandant du navire bénéficiait également d'une excellente réputation. Âgé de 37 ans, John Williams se trouvait déjà à l'apogée de sa carrière. Il affichait une énergie et une assurance qui compensaient sa petite taille (il ne mesurait qu'un mètre soixante). Williams comptait parmi les quatre premiers commandants de la Black Ball Line et, en 1822, on pouvait le considérer officieusement comme le chef de la flotte de la compagnie. Il « valait » largement 16 000 dollars, une petite fortune à l'époque, et il était à la veille d'accroître encore cette somme. Indépendamment des officiers et de 22 matelots, l'*Albion* transportait 23 passagers de cabine et six d'entrepont. A lui seul, le prix des cabines atteignit 3 079,97 dollars, dont le capitaine prélèverait 1 646,64 dollars. Une partie des frais de passage avait déjà été utilisée pour l'achat de nourriture et de vin, mais le capitaine Williams espérait récupérer un bonus de 1300 dollars au bout de trois semaines.

On sait peu de chose des voyageurs. Parmi les passagers de pont, on notait un Canadien, Stephen Chase, un vétérinaire, le Dr Carver, un charpentier, Mr. Harrison, et un filateur de coton du Yorkshire, Mr. Baldwin. Parmi ceux qui occupaient des cabines, on remarquait une certaine Miss Powell, la fille de W.D. Powell, le président de la Cour suprême du Haut-Canada, et qui bénéficiait « d'un charme inhabituel ». Un autre voyageur, Charles Lefevbre-Desnouettes, était un Français à

Une embarcation d'un village voisin s'efforce de secourir un bateau jeté sur la côte de la Nouvelle-Angleterre. Les eaux de ces régions, particulièrement traîtres avec hauts-fonds, brumes épaisses et subites tempêtes, infligèrent de lourdes pertes aux paquets.

l'allure tranquille qui laissait planer un certain mystère. Ancien général de Napoléon et comte d'Empire, il avait perdu son titre et avait été condamné à mort en 1815 au lendemain de la chute de Napoléon. Laissant sa femme en France, il s'était enfui aux États-Unis. Pour céder aux prières de son épouse et encouragé par l'intervention personnelle de l'ambassadeur de France à Washington, il revenait dans sa patrie, espérant une réinsertion définitive. Fait inattendu, l'un des compagnons de cabine de Lefevbre-Desnouettes n'était autre qu'un officier anglais, le major William Gough, du 67e régiment de ligne, qui avait combattu en Espagne contre les Français.

La traversée s'écoula dans de très bonnes conditions, marquée par un temps « modéré et favorable », comme le souligna par la suite le premier lieutenant Henry Cammyer. On aperçut la terre le 21 avril, peu après minuit, près du rocher du Fastnet, à la pointe sud-ouest de l'Irlande. La traversée s'était effectuée en 21 jours, soit un temps remarquable. Un passager devait rappeler que « l'équipage manifestait alors sa conviction que le port de destination serait rapidement atteint ». On aperçut le Fastnet à 14 heures 30, au nord-est, à une dizaine de milles. Une heure et demie plus tard, le veilleur signala le cap Clear, qui constituait le second atterrage important. A ce moment, la visibilité diminuait rapidement. Suivant l'expression du lieutenant Cammyer, on se heurtait à « une brume épaisse ». Brutalement, de grosses vagues déferlèrent, poussant le navire vers les récifs de la côte.

Le capitaine Williams prit alors une route est-sud-ouest, « réduisant la toile pour maintenir le navire à distance de la côte », d'après le récit de Cammyer. Il conserva cependant les voiles hautes. Ce dispositif se révéla inutile. Il ne s'agissait pas d'un coup de vent ordinaire. Vers 16 heures, une bourrasque brisa la vergue de misaine et déchira la voile de perroquet de misaine. A la tombée de la nuit, le vent soufflait en tempête. A 20 heures 30, le bâtiment fut frappé par une vague gigantesque qui le coucha sur le côté; elle blessa de nombreux passagers, cassa le grand mât, la tête de la misaine et de l'artimon. Elle balaya le pont de ses embarcations, de l'abri de navigation, des pavois, de la barre et du compas. La mer s'engouffra dans des écoutilles. D'après William Everhart, « toutes les lames qui déferlaient par-dessus bord pénétraient à l'intérieur sans rencontrer d'obstacle ». Pour clore le tout, l'énorme lame avait emporté six hommes d'équipage ainsi qu'un passager de cabine, M. Converse, de Troy, dans l'État de New York.

Toutes les bâches du navire avaient également été enlevées par la mer, avec tout ce qui se trouvait sur le pont. Il était impossible de remettre de l'ordre dans l'enchevêtrement des mâts et des manœuvres. Cela n'avait d'ailleurs plus beaucoup d'importance. Privé de sa barre, le navire se révélait ingouvernable. Ce n'était plus qu'une épave que le vent déchaîné poussait en direction de la côte.

Dans ces circonstances, le comportement du capitaine Williams fut magnifique. Il donnait ses ordres « avec assurance et calme », d'après les souvenirs d'Everhart. Il mobilisa parmi les passagers tous les hommes valides pour travailler aux pompes. Ceux-ci se mirent à l'œuvre avec empressement, rejoints par Miss Powell. Ce travail se révéla bientôt épuisant. La tempête malmenait l'*Albion* au point qu'il fallut attacher les passagers aux pompes pour leur éviter d'être enlevés pendant qu'ils tentaient de maintenir le navire à flot. « Tous ceux qui n'avaient rien à faire sur le pont reçurent l'ordre de descendre, devait

Alors que de rares passagers et matelots ont réussi à atteindre le pied de la falaise, le paquet Albion se disloque sur les brisants de la côte irlandaise en 1822. On comptera 45 victimes.

dire Everhart, mais l'eau arrivait déjà à hauteur du genou dans la cabine, et les meubles qui se mettaient à dériver rendaient la situation terriblement dangereuse». Le commandant continuait à adresser des encouragements avec l'espoir que le vent tomberait avant le lever du jour. En réalité, les hautes falaises de l'Irlande étaient là, menaçantes.

Vers une heure du matin, on aperçut le phare de Old Head, à Kinsale. Une heure plus tard, le bruit des brisants annonça l'approche de la fin. Le capitaine Williams fit monter tous les passagers sur le pont. Beaucoup souffraient de fractures ou de blessures. Lefevbre-Desnouettes s'était cassé un bras. Williams leur annonça que le navire était perdu. Plusieurs femmes se mirent à hurler. «A ce moment-là, la situation était indescriptible, devait raconter le premier lieutenant; je ne peux guère insister sur ces horreurs.» Suivant la meilleure tradition militaire, le major Gough rappela aux hommes «que la mort n'obéissait qu'à sa guise, comme une messagère que l'on ne souhaitait pas, mais qu'il fallait savoir l'affronter comme des hommes».

A 3 heures, l'*Albion* heurta une roche près des falaises de Kinsale. La

A l'entrée du port de Liverpool, des paquets luttent dans l'ouragan du 7 janvier 1839. Au cours de cette tempête historique, qui fit rage pendant deux jours, plus de 60 navires, la plupart à quai, furent endommagés ou coulés.

vague suivante, d'après le récit d'Everhart, « projeta le navire un peu plus loin sur le rocher ; la troisième encore davantage, jusqu'à ce que le bateau, presque en équilibre, se mette à pivoter, l'arrière heurtant une autre roche. Dans cette position, les vagues le démantelaient, certaines recouvrant le pont ». Williams se dépensait alors sans compter pour sauver les passagers. Mais, quelques instants après le naufrage, il fut enlevé par une lame et ne réapparut pas. Du haut des falaises, un Irlandais aperçut cinq corps gisant sur le pont et « quatre autres malheureux qui appelaient à l'aide, sans qu'il soit possible de leur apporter le moindre secours ». Une dernière vague cassa le bateau en deux. Everhart et d'autres personnes qui se trouvaient près de l'arrière ne furent pas immédiatement emportés, mais ceux de l'avant disparurent.

Juste avant que le navire ne se coupe en deux, le premier lieutenant et six matelots avaient réussi à atteindre les rochers au pied des falaises. Everhart et ceux qui se trouvaient avec lui tentèrent de les imiter. Au milieu des vagues qui déferlaient, Everhart réussit à grimper jusqu'au perchoir mais plusieurs autres se révélèrent trop fatigués ou trop grièvement blessés pour lutter contre la force de la mer. Des heures s'écoulèrent avant que la tempête diminue de violence, permettant aux sauveteurs de lancer une corde et de mettre les survivants en sûreté. Les habitants de la région accoururent ensuite pour voir ce qui restait de la cargaison. Un coffre contenant 5000 dollars demeurait intact. Des balles de coton, des malles éventrées vinrent s'échouer sur la côte, accompagnées de cadavres poussés par les vagues. Des 23 passagers de cabine, Everhart fut le seul survivant. Le passager de pont Stephen Chase s'en tira également, ainsi que le premier lieutenant et six matelots. Mais 45 personnes périrent, parmi lesquelles le commandant Williams, les mousses et Lefevbre-Desnouettes, l'exilé. Pendant plus de 25 ans, aucun bilan de cette importance ne serait enregistré.

Le naufrage de l'*Albion* contribua à tenir la légende qui tendait à se constituer autour des paquets. Leur vitesse, leur résistance ne les mettaient nullement à l'abri des dangers de la mer. Au cours du demi-siècle suivant, un paquet sur six allait disparaître.

De temps à autre, comme si elle eût éprouvé un malin plaisir à démontrer sa puissance, la mer engloutissait plusieurs bâtiments d'un seul coup. C'est ce qui se produisit au cours du mois de janvier 1839, quand la côte ouest de l'Angleterre fut dévastée par une tempête si violente que des arbres se trouvant à plusieurs kilomètres à l'intérieur des terres furent recouverts d'embruns. Le *Liverpool Courier* devait parler « d'une des tempêtes les plus brutales et les plus destructives jamais observées par les anciens du pays ».

Avant le début du coup de vent, des navires en partance avaient été retenus au port pendant plusieurs jours par le vent d'ouest. Le 6 janvier, le vent changea de direction et plusieurs bateaux purent appareiller, dont quatre paquets à destination de New York. Au cours de la nuit, alors que les navires se trouvaient encore dans la Mersey, le vent s'orienta de nouveau à l'ouest, avec une violence croissante. Vers 2 heures du matin, il atteignait la force d'un ouragan. A terre, comme devait le raconter le *Courier*, « des milliers de familles se levèrent, incapables de rester au lit, en proie à une terreur provoquée par le rugissement de la tempête ». Sur la Mersey, les mâts furent brisés comme des fétus, les voiles mises en charpie et les navires commencèrent à danser comme des bouchons sur les flots démontés. A l'aube, quinze bâtiments se trouvaient à la côte.

Le paquet *Oxford* de la Black Ball, estimé à 70 000 dollars, était couché sur le sable, les mâts arrachés, envahi par l'eau à marée haute. Par bonheur, les passagers et l'équipage réussirent à se mettre en lieu sûr. La coque était si solide que le navire put reprendre rapidement la mer. Son sister ship, le *Cambridge*, bénéficia même d'une chance encore plus grande, mais après une nuit de cauchemar. Durant deux marées successives, le navire faillit être projeté contre un appontement en pierre. Le capitaine fit placarder une banderole sur le flanc du bateau offrant 1000 livres au navire qui le prendrait en remorque. Personne ne se présenta. A la fin, les ancres ayant résisté, le bateau put être sauvé. Le *Cambridge* appareilla le 10 janvier; il fut le premier bâtiment à annoncer à New York la nouvelle de la tempête.

Deux navires furent moins favorisés: le *Saint Andrew* de 651 tonnes de la Red Star Line et le *Pennsylvania* de la Blue Swallowtail de 808 tonnes. Quand la tempête se déchaîna dans les premières heures du lundi, elle mit en pièces la voilure du *Saint Andrew*. Le capitaine ordonna aux hommes de monter dans la mâture; mais l'un des matelots venait d'être projeté d'une vergue sur le pont, et gisait blessé. « Voyant la mort se dresser en face d'eux », devait écrire le journal *Liverpool*

Albion, les hommes refusèrent d'obéir au capitaine. Le bâtiment resta désemparé pendant plusieurs heures. On réussit cependant à hisser quelques voiles basses et à rebrousser chemin vers Liverpool.

Mais, le mardi matin, vers 10 heures 30, le *Saint Andrew* s'échoua sur un banc de sable. Il y resta, « mouillé sur ses ancres, violemment martelé par la mer », suivant le récit du journal de bord. Le capitaine, « redoutant les conséquences de cette situation sur le moral de son équipage », ordonna de rassembler toutes les bouteilles d'alcool et de les jeter par-dessus bord. A trois heures et demie de l'après-midi, le remorqueur à vapeur *Victoria*, que les services du port avaient fait sortir pour prêter assistance aux navires en détresse, s'approcha du *Saint Andrew*. Les 23 personnes qui se trouvaient à bord du navire en train de sombrer purent être transférées saines et sauves sur le vapeur à l'aide des embarcations. A ce moment-là, le *Saint Andrew* n'était plus qu'une épave.

Quant aux 40 personnes embarquées à bord du *Pennsylvania*, elles endurèrent un véritable calvaire. Comme le *Saint Andrew*, leur bâtiment heurta un banc de sable. Un canot fut mis à la mer avec onze personnes ; mais il se retourna et ses passagers se noyèrent. 29 matelots restèrent sur le *Pennsylvania*, en train de sombrer jusqu'au mercredi. Quand le *Victoria* les trouva, ils étaient accrochés aux haubans, « tran-

Un effroyable incendie

De tous les désastres qui frappèrent l'activité maritime américaine au cours du XIXe siècle, aucun ne fut plus désastreux sur le plan financier que l'incendie qui ravagea le centre des affaires de New York dans la nuit du 16 décembre 1835. En moins de 24 heures, le sinistre détruisit 674 immeubles, en grande partie des magasins de négociants se livrant au commerce transatlantique.

L'incendie se déclara peu après 21 heures, quand une canalisation de gaz explosa dans un dépôt de marchandises. Les pompiers arrivèrent rapidement sur place, mais ils étaient épuisés par un incendie qu'ils avaient dû combattre au cours de la nuit précédente. Pour aggraver les choses, le thermomètre était largement tombé au-dessous de zéro depuis plus d'une semaine, et les bouches d'incendie étaient gelées. Il fallut pratiquer des trous dans la glace du port, mais l'eau gelait dans les manches et la pression était très faible.

Attisé par un vent violent, le feu s'étendit avec une rapidité terrifiante. D'épais nuages de fumée ne tardèrent pas à se former au-dessus du bas de Manhattan et les flammes montaient si haut que la lueur de l'incendie s'apercevait à 150 kilomètres.

Les matelots luttèrent avec acharnement pour mettre leurs navires à l'abri avant que les flammes n'atteignent les docks. Un armateur à la grande présence d'esprit se mit à courir le long des quais, commandant aux matelots de descendre les voiles dans les cales pour les préserver des brandons qui voltigeaient dans le ciel. Heureusement, l'East River n'était pas gelée et de nombreux navires purent s'y réfugier. Des bateaux prirent feu malgré tout et les équipages durent éteindre les sinistres.

A terre régnait un chaos complet. Quand les magasins commencèrent à être menacés par les flammes, les propriétaires firent évacuer dans les rues des dépôts entiers de tissus, d'indigo, de soie, de thé et d'autres produits de valeur. Un groupe de négociants, qui avait fait transporter des marchandises dans un endroit sûr, vit avec stupeur les magasins s'embraser.

Le feu ne fut pas le seul destructeur. La foule envahit les rues, emportant tout ce qu'elle pouvait. Au cours de cette nuit d'enfer, les pillards devinrent de plus en plus excités, après avoir absorbé le contenu des milliers de bouteilles volées.

Le lendemain, les pompiers réussirent enfin à circonscrire le sinistre en faisant sauter de nombreux bâtiments à coups d'explosifs pour créer des pare-feu. Deux cents hectares du centre des affaires se trouvaient alors réduits en cendres. Seules deux personnes avaient trouvé la mort, mais des milliers d'autres étaient sans travail. Le montant des dégâts était très important et des compagnies d'assurances se virent acculées à la faillite. De nombreux marchands qui avaient fait fortune dans le commerce des paquets étaient ruinés. Il leur restait cependant quelques bateaux pour reconstituer leur capital.

sis de froid, trempés sans trêve nuit et jour par la mer». Trois marins avaient succombé au cours de cette tempête; le commandant et le second lieutenant s'étaient noyés. Le *Victoria* sauva 25 personnes; 15 autres avaient péri. Le navire, évalué à 70 000 dollars, et sa cargaison, qui atteignait presque le million, étaient totalement perdus.

L'Atlantique disposait encore d'un autre moyen plus raffiné pour faire connaître son énorme capacité de destruction. Parfois (pas trop souvent heureusement), les rubriques maritimes des journaux mentionnaient un seul mot sinistre accolé au nom d'un bateau: «manquant». Cela signifiait tout simplement que le navire avait disparu en haute mer. Ces accidents ne paraissaient obéir à aucune règle. L'Océan pouvait engloutir, sans laisser la moindre trace, des bateaux, petits ou grands, se dirigeant vers l'ouest ou vers l'est. Durant l'hiver 1826, de violentes tempêtes retardèrent les traversées. A la fin mars, treize paquets étaient attendus à New York. Au cours de la première semaine d'avril, douze arrivèrent enfin. La *Crisis* de 336 tonnes était le malheureux treizième. Le navire avait été aperçu pour la dernière fois, le 18 mars, à proximité de la banquise. Depuis, plus rien.

Pendant vingt ans, il y eut encore des hivers redoutables. Mais aucune disparition ne se produisit jusqu'à ce que l'*United States* de

Protégés du désastre par l'East River, des habitants de Brooklyn regardent les flammes jaillir du centre de Manhattan.

650 tonnes de la Red Star et l'*England* de 729 tonnes de la Black Ball n'appareillent de Liverpool, en novembre 1844, à une semaine d'intervalle. L'*England* ne transportait aucun passager, l'autre un seul. Les équipages se montaient respectivement à 25 et 30 hommes. Bien que les deux bateaux eussent généralement effectué d'excellentes traversées, personne ne s'inquiéta à New York quand on constata qu'ils étaient en retard. De fait, il avait fallu une fois 49 jours à l'*England* pour effectuer un parcours d'est en ouest, et l'*United States* en avait exigé 54. Fin janvier, l'inquiétude commença cependant à se manifester. A la mi-février, un bateau apporta la nouvelle d'une très violente tempête qui avait arraché le gréement d'un paquet de Londres et failli engloutir un navire flambant neuf, le *John R. Skiddy*. « Nombre de ceux qui conservaient un espoir cessèrent de s'y accrocher », devait dire le *New York Herald*. Le journal attendit le 7 mars pour déclarer les navires perdus. Il raya l'*England* et l'*United States* de la liste des « paquets attendus » et les inscrivit dans la colonne des « manquants ».

Même si la tempête apparaît comme la cause principale de la disparition des paquets, l'incendie n'en était pas moins considéré comme la forme la plus redoutée de la fortune de mer. Quand un navire sombrait, les canots offraient un espoir de salut. Mais, à bord d'un bâtiment ravagé par le feu, l'équipage et les passagers se trouvaient soumis à un double danger; les embarcations pouvaient être la proie des flammes, aussi bien que le bateau. Le 24 août 1848, l'*Ocean Monarch* de 1301 tonnes devait connaître l'un des pires drames de ce genre.

Ce jour-là, dans la matinée, l'*Ocean Monarch*, le premier d'une série de trois navires à arborer ce nom, appareilla pour son quatrième voyage de Liverpool à destination de Boston. Il portait un chargement varié: du fer, des salaisons, du sel, des objets fragiles comme de la porcelaine emballée dans des caisses remplies de paille. Près de 400 passagers se trouvaient à bord, dont 322 émigrants sur l'entrepont.

Peu après l'aube, un vapeur remorqua le paquet dans la Mersey pour faciliter sa descente jusqu'à l'estuaire. A 8 heures, le pilote et le remorqueur quittèrent l'*Ocean Monarch* et la brise commença à gonfler ses voiles. Au cours de sa descente du chenal, le bâtiment doubla le *New World* de 1404 tonnes, le plus grand paquet en service, qui partait lui aussi avec de nombreux passagers de pont. « A plusieurs reprises, tout au long de la matinée, nous contemplâmes l'*Ocean Monarch*, devait dire le révérend S. Remington, un des passagers du *New World*, non seulement en raison de sa beauté et de son équilibre, mais parce qu'il pouvait rivaliser avec notre bâtiment, notamment sur le chapitre de la vitesse. On pouvait s'attendre à une course entre les deux navires, au cours de la traversée, pour déterminer quel serait le vainqueur. »

La compétition devait s'interrompre dès le départ. Vers midi, le steward de l'*Ocean Monarch* avertit le commandant James Murdock qu'un incendie avait éclaté dans un des conduits d'aération à l'arrière. Quand le capitaine descendit, il trouva l'entrepont envahi par la fumée. Il ordonna aux hommes de jeter de l'eau sur les flammes. Mais le sinistre n'était déjà plus contrôlable. En moins de cinq minutes, tout l'arrière se trouvait la proie du feu. Le commandant Murdock remonta sur le pont. Il ordonna à l'homme de barre d'orienter le bateau face au vent, pour essayer de ralentir la progression de l'incendie et de le circonscrire à l'arrière du bâtiment. En proie à la panique, les passagers

Le cheval de bataille de l'Atlantique

Un facteur caractérisait tous les paquets: leur lutte contre l'adversité. Ces navires devaient non seulement affronter les colères de l'Atlantique Nord, mais aller au train d'enfer imposé par des commandants décidés à respecter les horaires coûte que coûte.

En dépit de différences de vitesse, de taille et de capacité, les paquets offraient certains points communs. C'étaient des trois-mâts classiques à voiles carrées, dont les coques robustes affichaient un rapport longueur-largeur de l'ordre de 4 à 1. Vers 1840, un navire de ce type, tel celui représenté ci-dessous et sur les pages suivantes, déplaçait environ 1 000 tonnes, mesurait 55 mètres de l'étrave à la poupe, avec un creux de 6 mètres.

Un bois de chêne, d'une qualité sans égale en raison de la densité de ses fibres et de la finesse de son grain, lui assurait une longue existence et l'empêchait pratiquement de pourrir. Le doublage de cuivre de la carène renforçait l'imperméabilité et assurait une protection contre les « salissures ». Par souci de robustesse, les mâts, qui s'élevaient à 30 mètres à partir de la quille, étaient taillés dans un fût unique. Le seul bois assurant la longueur et la résistance nécessaires était le pin blanc, qui arrivait par flottage depuis le Maine jusqu'à New York.

Bien que dépourvu de tout armement, le paquet arborait des sabords peints en trompe-l'œil qui lui donnaient une allure menaçante. Ce camouflage datait de l'époque où les corsaires infestaient les mers et fut conservé pendant toute la durée du service des paquets.

En revanche, la mer constituait bien un réel danger. Les paquets, quelle que fût leur taille, s'efforçaient d'y faire face. C'est ainsi qu'au lieu d'arborer une élégante figure de proue, qui aurait pu être endommagée en cas de violente tempête, le navire se contentait d'une simple décoration de bois peint. Pour éviter le risque d'avaries plus graves, il emportait des agrès de rechange et trois jeux complets de voiles.

PAQUET DE 1 000 TONNES DATANT DE 1840

Le paquet était par excellence un navire de charge. Il transportait à travers l'Océan marchandises et passagers avec une efficacité encore jamais connue. Au cours des traversées à destination de l'Europe, les cales étaient remplies de coton, de céréales et de tabac. A destination de l'Amérique, on y trouvait de la faïence, des tissus et du charbon. Au-dessus de la cale, dans un espace obscur, mal aéré, appelé l'entrepont, il emportait son chargement le plus rentable, les émigrants en quête d'une vie nouvelle en Amérique. Ces pionniers s'entassaient dans d'étroites couchettes de bois attachées aux barrots. Sur bien des navires, ils devaient grimper sur le pont par une échelle étroite pour préparer leurs repas.

En revanche, avec les cabines des passagers on abordait un autre univers. Disposant chacune de deux couchettes et de hublots pour l'aération, elles se trouvaient à l'arrière. Les passagers prenaient leurs repas dans une salle à manger et pouvaient se retirer dans le fumoir. Le commandant et les officiers disposaient de locaux à l'arrière, alors que l'équipage était logé dans le poste avant dans des conditions comparables à celles de l'entrepont.

Les paquets les mieux aménagés offraient des « commodités » destinées à améliorer le confort. Au lieu de pots de chambre, ils disposaient de toilettes, des petits édicules avec des sièges de bois donnant sur la mer, au-dessus du bastingage. Les anciens bâtiments conservaient l'eau de boisson dans de vieux tonneaux de vin, les plus récents dans deux réservoirs métalliques installés dans la cale. L'eau arrivait jusqu'au pont au moyen d'une pompe et de canalisations. Malheureusement, ces améliorations profitaient rarement aux malheureux de l'entrepont. En cas de tempête, les écoutilles étaient fermées et les émigrants devaient subir le supplice de la soif et une véritable débâcle sanitaire.

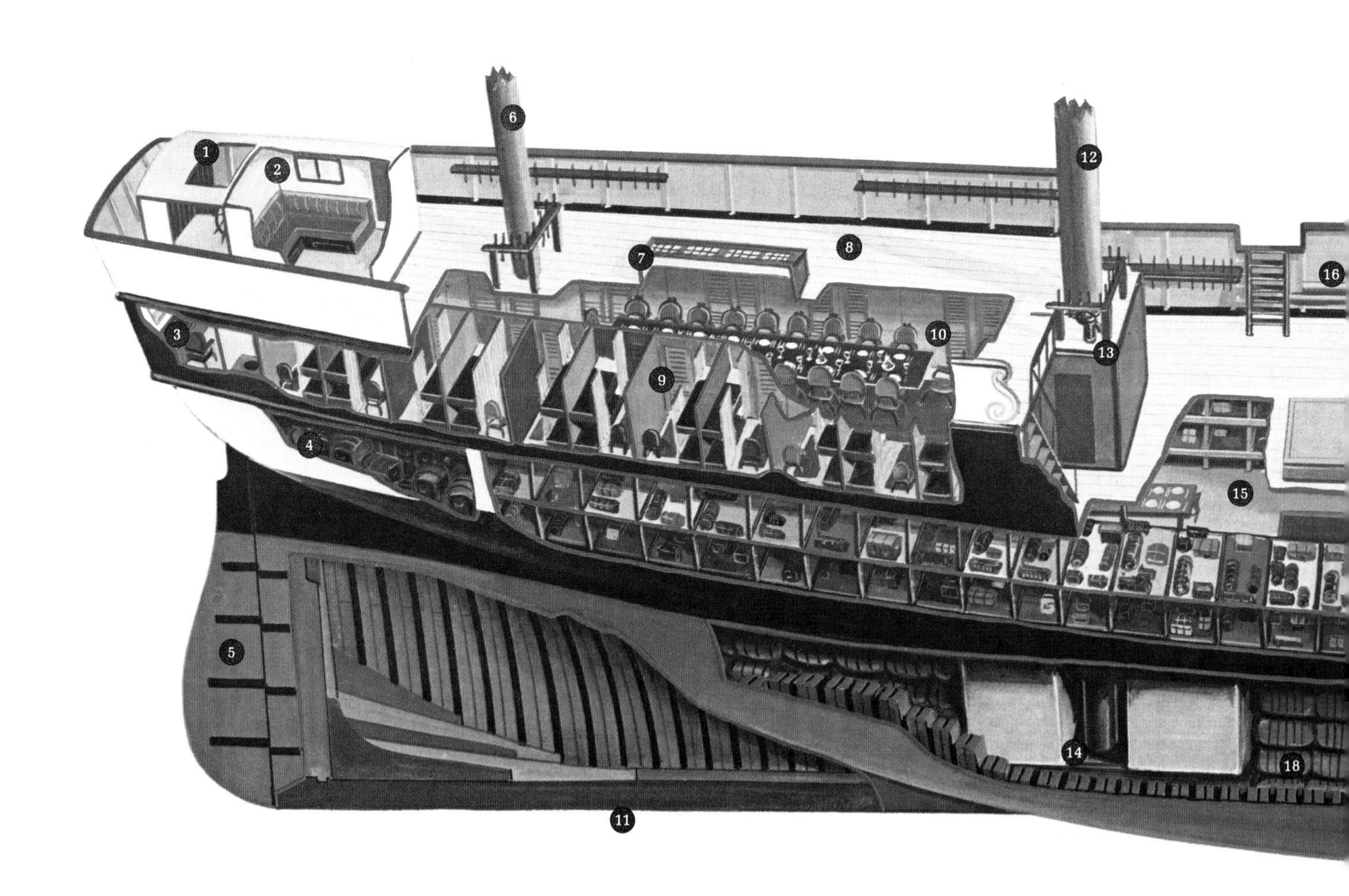

1. TIMONERIE
2. FUMOIR
3. CABINE DU COMMANDANT
4. SOUTE À BAGAGES
5. GOUVERNAIL
6. MÂT D'ARTIMON
7. CLAIRE-VOIE
8. DUNETTE
9. CABINES
10. SALLE À MANGER ET SALON
11. QUILLE
12. GRAND MÂT
13. POMPE
14. RÉSERVOIRS D'EAU EN MÉTAL
15. ENTREPONT
16. AGRÈS DE RECHANGE
17. CAGES DES ANIMAUX
18. CALE
19. CHALOUPE
20. ROUF
21. CUISINE
22. FOURNEAU
23. BASTINGAGE
24. DOUBLAGE DE CUIVRE
25. MÂT DE MISAINE
26. TOILETTES
27. POSTE D'ÉQUIPAGE
28. GUINDEAU
29. CABESTAN
30. PONT AVANT
31. BEAUPRÉ
32. GUIBRE

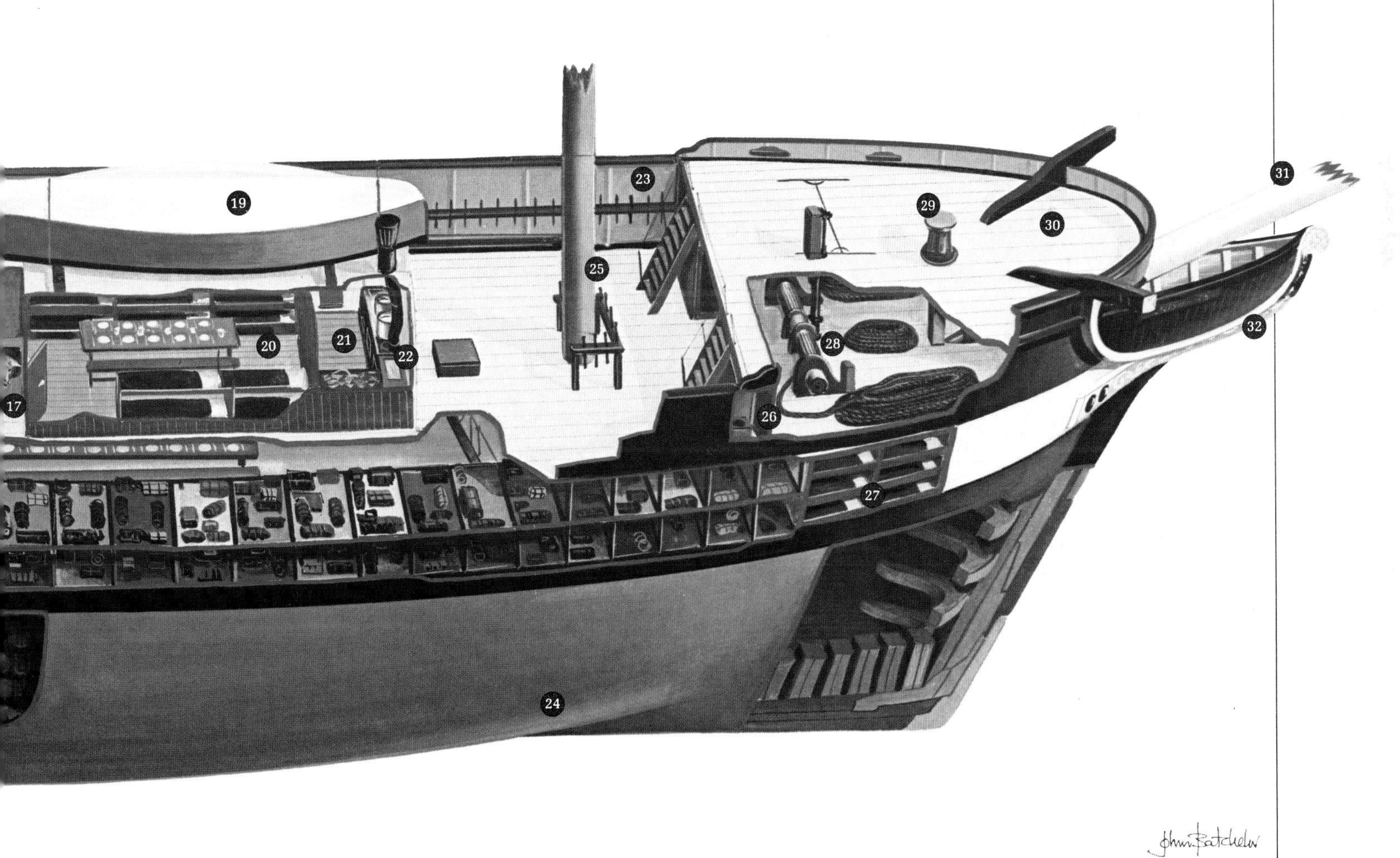

*Alors que l'*Ocean Monarch *brûle le 24 août 1848, dans la Mersey, les passagers s'agglutinent sur le beaupré. Nombre d'entre eux sautèrent à la mer et se noyèrent.*

se précipitaient hors de l'entrepont et se bousculaient pour échapper aux flammes, à la fumée et à la chaleur. « On entendait les cris et les hurlements les plus affreux », devait dire le commandant. « Ma voix ne pouvait se faire entendre, mes ordres être obéis ».

Sur le pont, le désordre prit bientôt des allures de cauchemar. Les passagers se ruaient dans toutes les directions pour retrouver maris, femmes et enfants. D'après un témoin, « certains se tenaient immobiles, en proie à la résignation, d'autres poussaient des cris de désespoir. Des femmes et des enfants d'émigrants priaient ou lisaient la Bible ». Murdock ordonna de descendre les embarcations. L'équipage réussit à en mettre deux à la mer. Le premier lieutenant, des matelots et des passagers s'y entassèrent immédiatement, au mépris de la règle qui prévoit l'embarquement des femmes et des enfants d'abord. Quant aux autres canots, ils furent détruits par le feu avant d'avoir pu être amenés. Murdock, qui se trouvait toujours à bord, tenta de jeter sur le côté du navire une vergue de rechange, pour que ceux qui se débattaient dans l'eau puissent s'y accrocher. Mais, cerné par les flammes, il fut contraint de sauter à la mer.

Par bonheur, l'*Ocean Monarch* se trouvait encore dans l'estuaire de la Mersey, sillonné par de nombreux navires. Un yacht, la *Queen of the Ocean*, put ainsi sauver Murdock, resté agrippé à une planche pendant une demi-heure. Le yacht appartenait à Thomas Littledale, le président du Royal Mersey Yacht Club. Littledale, qui revenait d'une promenade en mer avec quelques amis, réussit à maintenir son bateau le long de l'*Ocean Monarch* pendant deux heures. Il sauva le plus grand nombre de personnes possible. Une frégate brésilienne, l'*Affonso*, s'approcha également dès qu'elle aperçut le bâtiment en feu. Le *New World* et le *Prince of Wales*, en instance de gagner la haute mer, se mirent à tourner autour de l'*Ocean Monarch* pour lui prêter assistance.

En fin d'après-midi, l'incendie avait tellement progressé que les passagers n'eurent d'autre ressource que de se réfugier sur le mât de beaupré et le tangon des focs. Sur le pont du *New World*, le pasteur Remington apercevait des hommes et des femmes agglutinés les uns contre les autres, « comme une grappe de raisin ». Le mât de misaine tomba alors sur le côté. Il entraîna dans sa chute le gréement des focs et les gens qui s'y étaient accrochés, poussant des cris de terreur.

Pendant plus d'une heure, une dizaine de femmes et d'enfants continuèrent à se cramponner au beaupré. La terreur les paralysait à un point tel qu'ils ne pouvaient se résoudre à lâcher prise et à se laisser tomber dans l'eau, alors que les sauveteurs les attendaient dans des embarcations. En désespoir de cause, un des matelots du *New World*, Frederick Jerome, se débarrassa de ses vêtements et se mit à nager sous l'étrave de l'*Ocean Monarch*. Il grimpa le long d'un cordage et réussit à mettre en sécurité les passagers un par un. Pourtant, comme devait le raconter Remington, « le beaupré vibrait dangereusement et le navire risquait de couler d'une minute à l'autre ». Le dernier passager à être sauvé fut un vieillard qui tenait dans ses bras un enfant.

L'incendie continua à faire rage pendant toute la journée et la nuit suivante, consumant l'*Ocean Monarch* jusqu'à flottaison. La mer atteignit alors le bord de la coque ravagée et éteignit les flammes. Le vendredi matin, vers 1 heure 15 minutes, « ce qui restait d'un des plus beaux et des plus élégants bateaux », suivant la formule de Remington, s'abîma dans les flots. Le bilan était lourd: 178 victimes. En associant leurs efforts, la *Queen of the Ocean* et l'*Affonso* avaient sauvé 188 personnes; les autres bateaux, trente autres. Tous les passagers de première classe ainsi que la majeure partie des 42 hommes d'équipage figuraient parmi les rescapés. Mais, sur les 322 passagers de pont, on comptait moins de 200 survivants.

Pour son courage, le jeune Frederick Jerome, âgé de 24 ans, reçut 20 livres en or de la part d'un riche passager de l'*Affonso*. La ville de New York devait lui offrir un coffret en or, d'une valeur de 150 dollars.

*Le matelot Frederick Jerome risqua sa vie en grimpant jusqu'au beaupré afin d'aider les passagers de l'*Ocean Monarch* à prendre place dans un canot. Quand la ville de New York lui offrit un coffret en or pour le féliciter de son courage, il pria un des officiers de transmettre ses remerciements à l'assistance.*

Les ravages du feu n'étaient pas toujours aussi rapides. Un paquet devait faire la désagréable expérience d'un incendie interminable. Il s'agit du *Poland*, parti de New York à destination du Havre, en mai 1840, sous les ordres du capitaine Caleb Anthony Junior. Cinq jours après le départ, au cours d'un orage, une boule de feu frappa le mât de misaine du navire, descendit jusque dans la cale et mit le feu à une cargaison de 270 balles de coton. L'équipage ne pouvait atteindre ce chargement, placé sous 2700 barils de farine, 22 de potasse et d'autres marchandises, qui faisaient du coton un véritable briquet d'amadou. Les matelots fermèrent hermétiquement les écoutilles pour essayer d'éteindre le foyer d'incendie, en le privant d'air. Mais le coton continua à brûler. Quand le capitaine Anthony comprit que le bâtiment était perdu, il ordonna de mettre à la mer les embarcations et y fit monter 32 passagers sur 69, dont la totalité des femmes et des enfants. Les embarcations furent garnies de vivres et mises à la remorque du navire en train de brûler, qui continuait à avancer, poussé par une faible brise. De temps à autre, le commandant faisait parvenir des encouragements aux passagers sous la forme de café chaud et de poulet rôti. Quant aux autres 37 voyageurs, ils passèrent la nuit sur le pont, qui dégageait une chaleur de plus en plus forte.

Le lendemain matin, le vent se mit à souffler plus fort, rendant le séjour dans les embarcations extrêmement pénible. Il fallut faire remonter les passagers à bord du *Poland*, et le commandant fit mettre toute la toile dans l'espoir de rencontrer un autre navire. Ce qui fut le cas. A deux heures de l'après-midi, le paquet *Clifton*, en route pour New York, fut aperçu, et le *Poland* se dirigea vers lui. Le vent soufflait alors en tempête et la mer devenait de plus en plus dure. A chaque coup de roulis ou de tangage, la fumée jaillissait des coutures du bateau. Il fallut six heures d'effort pour que les embarcations des deux navires réussissent à mettre en sécurité les passagers et l'équipage à bord du *Clifton*. A la fin, alors que l'incendie risquait d'embrasser le pont, le capitaine Anthony abandonna l'opération de sauvetage et se résigna à abattre la vache du bateau. Ce fut la seule victime du sinistre.

L'insuffisance des embarcations de secours à bord du *Poland* n'avait rien d'inhabituel comparée aux autres paquets. Seule une chance extraordinaire permit d'éviter la tragédie. Mais, l'année suivante, le manque de moyens de sauvetage entraîna un bilan particulièrement lourd à bord d'un autre bâtiment en perdition.

En juin 1841, le *William Brown* suivait la route du nord quand il heurta un iceberg. Une brèche si importante se produisit dans la coque qu'elle interdit tout espoir de sauver le bâtiment. Au moment où le navire commençait à s'enfoncer. l'instinct de conservation étouffa tout sentiment de devoir et de pitié. Les matelots mirent les embarcations à la mer, prirent quelques passagers, suffisamment pour surcharger les canots, et s'éloignèrent, abandonnant plus de 30 personnes. Le premier lieutenant, Alexander W. Holmes, était le patron de la chaloupe. Il s'aperçut que l'embarcation coulerait si plus de 33 passagers se trouvaient à bord. Aussi, il n'hésita pas à donner l'ordre à ses hommes de jeter seize naufragés à la mer. Les matelots ne firent pas la moindre difficulté et commencèrent par se saisir d'un homme du nom de Frank Carr. Celui-ci tenta de les fléchir. « Je travaillerai comme un matelot jusqu'à demain et je ferai tout ce qu'il faudra pour vider l'eau de l'embarcation. J'ai cinq souverains et je vous les donne pour me laisser en vie jusqu'à demain matin. Si Dieu ne nous vient pas alors en aide, nous tirerons au sort et, s'il se montre défavorable à mon égard, je quitterai le canot. » Carr fut jeté par-dessus bord.

Les passagers et les matelots du paquet Poland *se trouvaient entassés à bord de canots ou réfugiés à l'arrière du navire, quand ils assistèrent à l'arrivée providentielle du* Clifton *sortant d'un grain. Frappé par la foudre en 1840, le* Poland *avait brûlé pendant deux jours avant l'arrivée des secours.*

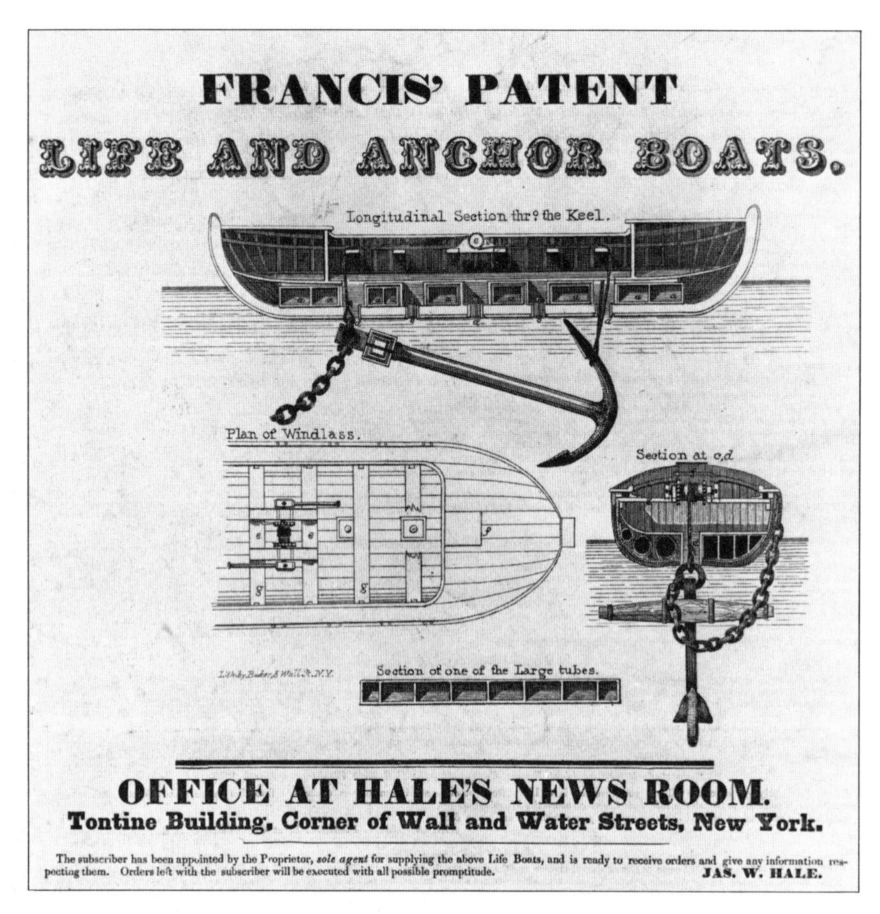

Cette gravure de 1839 montre plusieurs coupes des embarcations de sauvetage en bois mises au point par Joseph Francis. Les compartiments inférieurs étaient remplis d'hydrogène, conférant au canot une flottabilité permettant d'embarquer 300 personnes ou une ancre d'une tonne et l'équipe de manœuvre. L'ancre, susceptible d'être levée ou abaissée au moyen d'un guindeau, pouvait être utilisée pour déséchouer un navire.

C'est alors que la plus jeune sœur de Carr s'écria: « Si vous le jetez par-dessus bord, faites-en autant avec moi. Je veux partager la mort de mon frère. Ne nous séparez pas ». Les matelots la prirent au mot. Ils la jetèrent à la mer, ainsi qu'une autre sœur. Peu de temps après, l'embarcation fut secourue par un navire de passage. Plus tard, Holmes passa en jugement devant la Cour fédérale de Philadelphie et convaincu de meurtre, sur le témoignage des autres passagers de la chaloupe.

Non seulement les paquets ne comportaient pas assez de canots, mais en outre ceux-ci n'étaient pas conçus pour résister au traitement qu'ils auraient à subir en cas de naufrage. Ils se révélaient si fragiles qu'en cas de rupture des câbles des bossoirs, au moment où on les descendait, ils se disloquaient en touchant l'eau. Même s'ils étaient correctement mis à la mer avec les passagers, ils ne pouvaient guère résister à une forte houle. Ils se retournaient facilement ou se trouvaient envahis par l'eau dès que les vagues atteignaient le plat-bord. Quant à la chaloupe, elle servait généralement d'abri à la vache qui procurait du lait frais pendant la traversée. Il suffisait de quelques voyages, pour que le fumier accumulé en pourrisse le fond.

Tout le monde connaissait les faiblesses de ces embarcations, mais s'efforçait de les ignorer. Les armateurs et les commandants n'en attendaient pas plus que le sel dans les voiles. Mais, pour un habitant de Boston, Joseph Francis, ces faiblesses pouvaient être corrigées. En 1812, alors qu'il n'était qu'un garçonnet de onze ans à l'esprit inventif, il avait construit un petit bateau insubmersible, comportant à l'avant et à l'arrière deux compartiments remplis de liège. Sept ans plus tard, il remporta un prix de l'Institut de mécanique du Massachusetts pour un bateau à rames, offrant le même dispositif. Fort de ce succès, Francis se rendit à New York à la recherche de concours financiers. Les premières années se révélèrent décourageantes. Mais il continua à parfaire son invention et même à trouver quelques clients. C'est ainsi qu'en 1828 il reçut une commande d'embarcations insubmersibles pour la frégate *Santee* et le vaisseau de ligne *Alabama*.

En 1837, Francis effectua une éclatante démonstration de ses bateaux de sauvetage devant quelque mille spécialistes à New York. Indépendamment des compartiments remplis de liège à l'avant et à l'arrière, ces solides embarcations en bois présentaient des compartiments de cuivre remplis d'air sur les côtés et sous les bancs. Elles étaient également dotées de mains courantes permettant à 30 à 40 passagers de s'accrocher s'ils n'avaient pas trouvé de place à bord. Pour en démontrer l'efficacité, le bateau amené au pied de Wall Street fut jeté à l'eau, la quille en l'air. « Il se redressa aussitôt, d'après le compte rendu, et se vida instantanément grâce au trou de vidange ». On essaya de faire couler l'embarcation en la remplissant d'eau, « au moyen de deux pompes à incendie. Là encore, l'eau s'écoula aussi rapidement par le trou pratiqué dans le fond ». Toujours suivant le rapport, un filin fut fixé à l'embarcation et relié à une des vergues du brick *Madison*. Puis le canot fut hissé au bout de la vergue et on le laissa retomber brutalement dans l'eau. En dépit du fait qu'il avait violemment touché la surface, « il ne s'enfonça que de soixante centimètres, remonta et retrouva l'équilibre ». Enfin, plusieurs hommes montèrent à bord. Mais ils ne purent « ni faire chavirer ni couler l'embarcation ».

Après cette démonstration, suivie d'une seconde à Philadelphie, l'avenir de Francis se trouva assuré. Les commandes commencèrent à affluer de toute l'Europe ainsi que des États-Unis. En 1840, tous les navires de guerre américains étaient dotés de canots de sauvetage du type Francis. Les récits de sauvetage difficile se multipliaient. C'est ainsi que, par gros temps, un bateau de sauvetage du paquet *Rhone* de New York, à destination du Havre, put récupérer l'équipage du trois-mâts barque anglais *Bolinda*. La mer était si démontée qu'elle provoqua une brèche dans la coque de l'embarcation, qui s'enfonça dans l'eau. Elle réussit cependant à accomplir sa mission.

Le public s'efforça d'obliger naturellement les armateurs à acquérir ces canots, non sans mal d'ailleurs. Ils hésitaient devant les investissements requis par ces embarcations d'un nouveau genre. Les commandants y voyaient une source d'encombrement sur les ponts, ainsi qu'une insulte aux qualités nautiques de leur navire et à leur capacité d'hommes de mer. Certains armateurs, par avarice ou aveuglement, ne voulurent accepter que le plus petit modèle, dont la capacité ne dépassait pas cinq personnes. La plupart, cependant, prirent à cœur la sécurité des passagers et équipèrent correctement leurs bateaux.

Francis, cependant, ne se reposait pas sur ses lauriers. Il continuait ses essais. Il en arriva à la conclusion qu'il était préférable de construire une embarcation de sauvetage en métal, avec un port en lourd supérieur à celui du bois. Au bout d'une année, il mit au point une presse et des matrices susceptibles de modeler des pièces de métal incurvées nécessaires pour les côtés des embarcations. Mais, à sa grande déception, le métal ne conservait pas sa forme quand les plaques sortaient des matrices. Mettant en cause la presse, Francis s'acharna. Il finit par penser qu'en gaufrant les plaques de fer, il conserverait les avantages du métal, sans sacrifier la rigidité. C'est seulement en 1845, qu'il mit au point un procédé de fabrication satisfaisant.

Sous sa forme définitive, le procédé mettait en œuvre deux presses hydrauliques de fonte pesant chacune trois tonnes. Après l'opération, les plaques de métal étaient parfaitement courbées et conservaient leur forme. Après assemblage, deux de ces plaques constituaient une embarcation complète, d'une telle rigidité qu'elle n'exigeait ni membrures ni autre armature intérieure.

Au fil des ans, ces bateaux, comme les premiers, furent soumis à des tests particulièrement rudes. A titre d'exemple, un canot de sauvetage, rempli à ras bord de pavés, fut suspendu à plus de trois mètres au-dessus d'un sol rocheux. On le laissa ensuite tomber brutalement. A la surprise de tous les assistants, le canot ne subit pas la moindre avarie. Il put être aussitôt mis à l'eau et conduit à la rame jusqu'à un dock. La nouvelle de cette surprenante résistance se propagea. En 1848, tous les navires anglais et américains étaient équipés de canots métalliques. L'œuvre de Francis fut enfin officiellement reconnue, quand le Congrès américain vota, en 1852, la Steamboat Law, qui obligeait tous les navires à passagers à être dotés d'au moins une de ces embarcations.

A ce moment, Francis s'était attelé à un nouveau plan. Il projetait de construire une barque susceptible de sauver les passagers ayant fait naufrage sur la côte, dont les brisants risquaient de détruire les bateaux de sauvetage venus de la plage ou les canots de secours du navire en perdition. Deux ans après avoir obtenu un brevet pour son bateau en métal gaufré, Francis mettait au point une nouvelle invention, qu'il appela la voilure de survie. Il s'agissait d'une embarcation métallique complètement fermée, capable d'accueillir quatre ou cinq personnes, qui pouvait être halée à terre au moyen d'un grand câble auquel serait suspendue la navette de survie et un autre cordage qui, par l'intermédiaire d'un jeu de poulies, permettrait d'amener le véhicule du navire à la côte. Sur le rivage, les câbles seraient fixés à un poteau ou à des pieux de bois suffisamment élevés pour permettre au véhicule de passer au-dessus des vagues.

Le premier essai eut lieu le 12 janvier 1850, lors d'une violente tempête qui avait jeté le paquet *Ayrshire* à la côte près de Squam Beach, un des endroits les plus dangereux du littoral du New Jersey. Depuis le rivage, les sauveteurs mirent en batterie le mortier, pointèrent la pièce, et du premier coup expédièrent le filin sur le pont du bâtiment. Quelques instants plus tard, le véhicule de survie effectuait la première de ses soixante rotations au-dessus des vagues. 200 passagers et 47 hommes d'équipage furent ainsi sauvés. On ne devait compter qu'une seule victime, un homme qui se noya par sa faute: sa famille se trouvait déjà dans le véhicule, mais il n'y avait pas de place pour lui. Refusant d'attendre la navette suivante, il avait voulu s'accrocher à celle-ci, et fut enlevé par une violente lame.

Ce sauvetage spectaculaire n'avait été rendu possible que par une autre invention qui se révélait d'une importance capitale pour le trafic des paquets et même pour tous les navires franchissant l'Atlantique. Il s'agissait de la création d'un ensemble de stations de veille installées le long du littoral. Pendant des siècles, les marins jetés à la côte lors de

Cette presse hydraulique, dessinée par Joseph Francis, permettait de construire des canots de sauvetage métalliques. Quand les deux ouvriers, à gauche, manœuvraient la pompe, la matrice supérieure, sous une pression de 800 tonnes d'eau, s'abaissait et pressait une plaque de tôle galvanisée contre une seconde matrice. La tôle prenait la forme d'une demi-embarcation.

Avec trois personnes abritées sous un capot, une capsule de sauvetage de Joseph Francis franchit les vagues au moyen d'un câble tendu entre le paquet Ayrshire *et une plage du New Jersey. Les résultats obtenus par cet engin en 1850 se révélèrent si remarquables que le gouvernement américain décida d'attribuer 30 autres capsules aux stations de la côte atlantique.*

tempêtes avaient été condamnés à disparaître dans les flots déchaînés avant l'arrivée des secours. Même si les populations côtières avaient été témoin de naufrage, elles étaient rarement intervenues. En 1825, un commandant était le premier à se plaindre de ce que les pêcheurs du New Jersey s'intéressaient beaucoup plus au pillage des épaves qu'au sauvetage des naufragés. Cette année-là, au mois d'avril, un paquet, le *Franklin*, s'échoua par une brume épaisse sur un banc appelé Island Beach. Quelques instants plus tard, une foule se rassembla. « Je pensai que nous nous trouvions sur une côte accueillante », devait dire le commandant. Il ne tarda pas à déchanter. « Sur les deux cents personnes réunies sur la plage, la quasi-totalité, à l'exception d'une vingtaine, se mirent à emporter tout ce qui leur tombait sous la main. »

Ces « pirates du New Jersey », selon l'expression de Munro, sévissaient encore vingt et un ans plus tard, quand un autre paquet, le *John Minturn*, fit naufrage sur Squam Beach, en février 1846. En foule, les habitants se rassemblèrent à nouveau sur la plage, pillant la cargaison du navire ramenée par les flots, et ignorant les cris de détresse des passagers accrochés aux haubans glacés du navire. Trente-huit personnes moururent de froid, dont le commandant, sa femme et ses enfants.

Les populations côtières ne manifestaient pas toujours une telle insensibilité. Au Massachusetts, les premières tentatives destinées à venir en aide aux naufragés avaient fait leur apparition dès 1785; la Société de secours de cet État, à l'exemple de la Société de secours britannique, fit construire de petits abris le long du littoral munis de vivres, de vêtements et de bois à l'intention des naufragés. En 1807, cette société installa la première station de bateaux de sauvetage à Cohasset dans la baie du Massachusetts. En 1846, elle entretenait dix-huit stations, ainsi que plusieurs « refuges » établis le long de la côte.

Sur un autre secteur du littoral, la côte de Long Island, se manifestait une vieille tradition humanitaire. De vieux marins passés maîtres dans l'art de dominer les vagues mettaient une barque de pêche à la mer dès que retentissait le cri de « Navire à la côte ! » ; quant aux femmes, elles accouraient sur la plage avec de la nourriture et des vêtements chauds. Mais l'insensibilité pouvait, là encore, se manifester, avec de dramatiques résultats. C'est ainsi que dans la nuit du 1er janvier 1837, le navire d'émigrants *Mexico*, avec 104 passagers à bord, se présenta au large de Sandy Hook et demanda par signal optique l'assistance d'un pilote pour entrer dans le port. Il n'y eut aucune réponse. Les bateaux de pilotage étaient paisiblement amarrés à quai et les pilotes fêtaient joyeusement le Nouvel An. Après avoir tiré des bords toute la nuit et la journée du lendemain, le *Mexico* finit par s'échouer sur le banc Hempstead, à Long Island, en pleine tempête. Une petite embarcation réussit à quitter la côte et à embarquer le commandant et sept matelots, qui se mirent en vain à la recherche de secours. Tous ceux qui étaient restés à bord périrent de froid.

A la suite de cette série de désastres, un groupe de négociants, d'assureurs et d'armateurs décida de fonder en 1849 l'Association bénévole de sauvetage de New York. Ils financèrent la construction de dix stations de sauvetage sur les côtes de Long Island, depuis Barren Island, à l'entrée sud-est du port de New York, jusqu'à Amagansett, près de l'extrémité de Long Island, à 100 milles à l'est.

Deux ans plus tôt, le gouvernement fédéral avait fini par reconnaître une part de responsabilité dans la sécurité des navires qui approchaient des côtes américaines. En mars 1847, le Congrès autorisa ainsi le secrétaire du Trésor à débloquer un crédit de 5000 dollars destiné à « permettre aux phares de la côte atlantique de fournir assistance aux naufragés ». Mais les bonnes intentions du gouvernement allaient parfois être détournées de leur objectif ; on aurait l'occasion de le constater pendant près de 30 ans. En attendant, les 5000 dollars tombèrent entre les mains du receveur des douanes de Boston et furent utilisés par la Société de secours du Massachusetts à la construction de nouvelles stations sur la côte de cet État, effectuant là une réalisation qui ne manquait pas d'intérêt, mais qui ne répondait pas au but du Congrès.

L'année suivante, le crédit fut plus important et son utilisation mieux surveillée, grâce à un nouveau député du New Jersey. William A. Newell avait en effet été fortement impressionné par la vue de cadavres flottant en mer après un naufrage à Barnegat Inlet. Aussi, la première mesure qu'il fit adopter par le Congrès après son élection, en 1848, était une loi attribuant des crédits fédéraux à la création de stations de sauvetage. Sous son impulsion, le Congrès accorda 10 000 dollars à la construction de stations sur une portion dangereuse du littoral, entre Sandy Hook et Little Egg Harbor. C'est ce crédit, augmenté l'année suivante et renouvelé ensuite tous les ans, qui permit l'utilisation des embarcations de survie de Joseph Francis lors du naufrage de l'*Ayrshire*. D'après les termes de la loi, les stations devaient être équipées de canots insubmersibles, de fusées et de matériels divers « pour une meilleure protection de la vie et de la propriété en cas de naufrage ». Le Trésor était responsable de l'utilisation des fonds.

En l'espace de six ans, 137 stations de sauvetage financées par le pouvoir fédéral furent édifiées le long des côtes américaines et sur les rives des Grands Lacs. Un grand nombre des premières stations expérimentales des États du Massachusetts ou de New York furent progressivement incorporées à ce réseau.

L'augmentation du nombre de stations réduisit dans de sérieuses proportions le tragique bilan des naufrages. Le système était cependant loin d'être parfait, car il reposait entièrement sur des volontaires. Les sauveteurs n'avaient acquis de l'expérience dans le franchissement des lames qu'à la faveur de leur activité quotidienne, la pêche ou la recherche d'épaves. Le seul bénéfice qu'ils pouvaient retirer d'avoir risqué leur vie dans une opération de sauvetage se limitait à un accord avec la compagnie qui avait assuré le bâtiment naufragé. C'était là un bien médiocre encouragement quand on se heurtait à une mer déchaînée. En août 1850, un volontaire du nom de Benjamin Downing aperçut deux hommes accrochés à une goélette retournée par la tempête près d'Eaton Neck, dans l'État de New York. Downing, âgé de 66 ans, qui boitait et avait perdu un bras, fit haler jusqu'au bord de l'eau un bateau de sauvetage à l'aide d'une paire de bœufs. L'embarcation mesurait huit mètres de long et exigeait six rameurs. Six autres sauveteurs se trouvaient là. Mais ils refusèrent leur concours, en raison de la violence de la tempête. Downing dut alors faire appel à son fils, âgé de seize ans. A eux deux, ils réussirent à sauver un des hommes, resté sur la goélette. L'autre avait tenté de gagner la côte à la nage et s'était noyé. Downing et son fils furent récompensés pour leur exploit. Mais aucune sanction ne pouvait intervenir contre les défaillants.

La création de la chaîne de stations reposait sur un postulat hasardeux, l'intervention rapide des sauveteurs. Or ceux-ci n'habitaient pas sur place. Si l'on signalait un naufrage, les volontaires devaient alors gagner la station où se trouvait tout le matériel, conduire le véhicule de sauvetage et le mortier jusqu'à l'endroit du naufrage, éloigné parfois de plusieurs kilomètres et d'un accès difficile. Des vents violents, la neige et la nuit pouvaient aussi les retarder.

Le système devait faire la preuve de son inefficacité à Long Beach, dans le New Jersey, en avril 1854. Drossé à la côte par un vent violent du nord-est, le navire d'émigrants *Powhatan*, avec 250 passagers et hommes d'équipage, s'immobilisa à moins de huit mètres de la laisse de basse mer. Le bâtiment paraissait à deux doigts d'être sauvé; à l'aube, l'équipage put en criant échanger des propos avec les gens qui se rassemblaient sur la plage. En réponse à des appels à l'aide désespérés, les assistants répondirent que les sauveteurs avaient été prévenus au cours de la nuit et qu'ils allaient arriver d'une minute à l'autre. Mais les heures s'écoulaient. D'énormes lames balayaient le pont, projetant les passagers à la mer. On pouvait entendre la voix suppliante du capitaine: « Par pitié, sauvez ceux qui sont en train de se noyer! » Mais tout espoir était vain. Au crépuscule, une gigantesque vague déferla sur le bateau désemparé, et le bastingage s'effondra entraînant dans les flots des dizaines de personnes. Puis la coque se disloqua. La plage fut recouverte de cadavres. Il n'y eut pas un seul survivant.

L'équipe de la station de sauvetage la plus proche se trouvait à dix kilomètres de là. Elle n'arriva sur les lieux que trente-six heures après l'échouage. Pendant la nuit, les volontaires avaient manifesté une activité fébrile, traînant leur véhicule de sauvetage et le mortier. Mais

WARNING A VESSEL
AWAY FROM SHORE.
DRAGGING LIFE-BOAT
TO THE BEACH.
LAUNCHING
LIFE-BOAT.
THE GUN CART.
SIGNALLING
TO A VESSEL.
SIGNALLING AT NIGHT.
RESCUE WITH
BUOY AND HAWSER.
FIRING A LINE.
BEACHING
THE LIFE-BOAT.

Cette série de dessins tirés d'un article paru en 1888 sur la station de Sandy Hook montre les différentes phases de l'intervention d'une équipe de sauvetage. Les hommes chargés de cette tâche étaient habitués à affronter les tempêtes. La plupart avaient navigué à bord de navires de commerce et de baleiniers avant de vivre à terre.

la tempête était alors si violente que deux des volontaires s'étaient effondrés, complètement épuisés. Les autres avaient dû les ramener à la station. Ils y étaient bloqués jusqu'à la fin de la tempête.

La catastrophe du *Powhatan* incita le Congrès à l'action. Avant la fin de l'année, le secrétaire au Trésor reçut l'autorisation d'accorder des crédits supplémentaires pour la création de nouvelles stations, afin de réduire la distance qui les séparait les unes des autres. Le secrétaire fut également invité à recruter des « gardiens » au traitement de 200 dollars par mois, résidant à proximité des stations, de manière qu'ils soient en mesure de rassembler les autres volontaires. Il s'agissait là d'une importante amélioration. Mais son application s'accompagna de délais parfois désastreux, provoqués par le favoritisme politique qui empoisonnait le système.

La vérité au sujet de ce malaise fut révélée après l'hiver 1870-1871 par une enquête du *New York Herald* liée à une série de dramatiques naufrages accompagnés d'importantes pertes humaines. On constata ainsi que des gardiens habitaient finalement à 10 et quelques-uns jusqu'à 150 kilomètres des stations; ou que leur compétence se réduisait à de bonnes relations avec Washington. Le *New York Herald* signalait également que les exercices d'entraînement étaient très rares et que les équipes ne ressentaient nullement le besoin d'effectuer des patrouilles régulières le long de leur secteur côtier.

Ces révélations déclenchèrent une réaction immédiate. Le Congrès accorda 200 000 dollars pour remédier aux défauts du système. Au même moment, Summer I. Kimball, le secrétaire général au Trésor, fut placé à la tête du département des ressources de la Marine, avec pour mission d'apporter les améliorations indispensables.

Kimball ne perdit pas de temps. Il révoqua les incompétents et transforma en un service régulier, un système qui reposait sur le volontariat. Chaque station de sauvetage se trouva placée sous la direction d'un gardien, avec le grade de second maître, disposant de six hommes. Tous bénéficiaient d'un traitement et avaient de l'expérience. Kimball désigna encore des fonctionnaires du Trésor pour contrôler l'organisation des stations et former le personnel. Ces agents placèrent des patrouilles côtières dans chaque secteur, achetèrent un nouveau matériel et mirent au point un système de procédures identiques. Le contrôle du service dépendait toujours de Washington, mais des inspecteurs de district étaient responsables des différents secteurs.

Ces réformes se révélèrent si efficaces que dès sa première année d'activité Kimball put signaler « pas un mort » dans la zone couverte par les stations. En 1878, Kimball fut placé à la tête du Service de Sauvetage des États-Unis. Il en conserva la direction jusqu'à ce que le service fusionne avec le Revenue Cutter Service pour devenir en 1915 le Service de la Coast Guard des États-Unis.

Ces réformes étaient intervenues au moment où le service des paquets voyait s'amorçer son déclin. Jusque-là, des centaines de passagers et de marins avaient trouvé la mort et des millions de dollars de cargaison avaient été perdus. Mais, en dépit de ces drames, le service des paquets n'avait jamais été remis en cause, ni par les armateurs ni par le public. Les avantages des liaisons océaniques régulières étaient tels qu'en dépit d'un risque permanent de catastrophe l'Atlantique ne fut jamais en mesure de mater l'intrépide génération de navires et d'hommes qui avait eu l'audace de le traverser.

De Sandy Hook à New York

Indépendamment des risques affrontés au cours d'une traversée de 3 000 milles nautiques, le dernier acte du voyage d'un paquet concernait l'arrivée au port. L'entrée dans New York, une passe de 25 milles allant de Sandy Hook sur la côte du New Jersey jusqu'aux quais de l'East River, où accostaient les navires, constituait une véritable course d'obstacles entre des bancs mouvants et de violents courants susceptibles de provoquer un échouage.

Pour éviter un accident, le commandant n'avait généralement d'autre recours que les services d'un pilote appartenant à cette équipe d'hommes d'une rare habileté, qui n'avaient jamais navigué en haute mer, mais connaissaient les passes aussi bien que les veines de leurs mains. Ils savaient aussi d'instinct les vents et les courants et remarquaient la présence d'un haut fond rien que par une imperceptible coloration de la surface de l'eau. Pour le non-initié, la science du pilote pouvait paraître hermétique; mais le monde maritime était parfaitement conscient de la pertinence de ses avis. A partir de 1837, le port de New York infligea une amende à tous les commandants qui avaient pris le risque de se hasarder dans l'entrée du port sans le concours d'un pilote.

Il était facile de s'en procurer. Dès qu'un paquet arrivait, le capitaine manifestait sa présence par des signaux optiques. Parmi les 18 goélettes des pilotes, plusieurs naviguaient le long de la côte et à la vue des signaux, trois ou quatre se précipitaient au-devant du navire. Le commandant faisait appel au premier arrivé. Les services étaient soumis à un barème et oscillaient de 25 à 55 dollars suivant la taille du bateau.

Dès que le pilote se trouvait à bord, le paquet entamait une marche prudente. Le pilote n'était pas un homme pressé. Sa réputation reposait sur la sécurité et non sur la vitesse, d'autant plus que les services du port de New York exigeaient une escale pour une inspection sanitaire. Si le bateau subissait l'épreuve avec succès et si le vent ne tombait pas, il pouvait arriver 24 heures après avoir recueilli le pilote. Mais le voyage de Sandy Hook au port pouvait parfois s'éterniser des jours, voire même des semaines.

Sur la dunette d'un paquet, à proximité de Sandy Hook, le premier lieutenant donne ses instructions aux hommes dans la mâture, tandis que le commandant regarde une goélette mettre à la mer le canot qui va conduire le pilote à bord. Deux journalistes new-yorkais sont déjà arrivés sur le navire. Près d'une écoutille, l'un d'eux interroge les passagers sur la traversée, tandis que l'autre porte des journaux britanniques. Sur le pont du milieu, on se presse pour contempler l'Amérique. Ce spectacle, comme le soulignait en 1848 un passager, « faisait oublier les désagréments du voyage ».

Le pilote monte à bord du paquet tandis qu'un matelot s'occupe de son sac. En général, le pilote apportait des vêtements de rechange et les derniers journaux de New York pour le commandant et les passagers.

Le pilote montre au commandant le chemin que le navire devra suivre après le bateau-feu de Sandy Hook. Le pilote ne commandait pas lui-même. Il faisait bénéficier de ses conseils le capitaine, qui ensuite donnait des ordres à l'homme de barre et aux officiers.

Attaché aux haubans du mât de misaine, un marin s'apprête à lancer une sonde pour déterminer la profondeur de la passe. Cette opération, exécutée de l'autre côté du bateau par un second marin, était répétée pendant toute la traversée de la passe. Les fonds pouvaient varier à la suite d'une violente tempête.

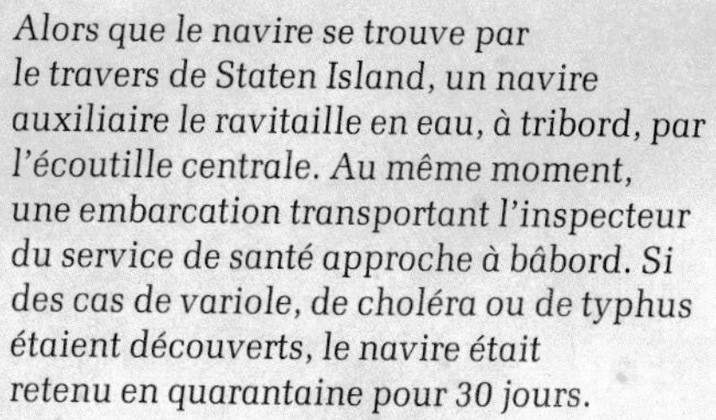

Alors que le navire se trouve par le travers de Staten Island, un navire auxiliaire le ravitaille en eau, à tribord, par l'écoutille centrale. Au même moment, une embarcation transportant l'inspecteur du service de santé approche à bâbord. Si des cas de variole, de choléra ou de typhus étaient découverts, le navire était retenu en quarantaine pour 30 jours.

Encalminé à Upper Bay, près de New York, un paquet entame la dernière étape de son voyage grâce à la force musculaire de ses matelots, qui rament en cadence. Avec huit hommes à bord, deux embarcations pouvaient remorquer un navire de 900 tonnes à une vitesse d'un nœud, une allure qui les obligeait à un travail épuisant durant toute la journée. Simultanément, les passagers de pont sont invités à jeter par-dessus bord leurs paillasses infestées de vermine.

Un paquet pivote à l'angle d'un appontement grâce à l'effort d'une douzaine d'hommes manœuvrant une haussière au cabestan. Deux canots, l'un à l'avant, l'autre à l'arrière, participent à la manœuvre. Lors de la marée. montante, l'accostage pouvait s'éterniser pendant des heures, à la grande impatience des passagers qui, d'après un témoin, « avaient été emprisonnés à bord pendant des semaines et brûlaient de fouler à nouveau la terre ferme ».

Chapitre 5

Une grande vague d'émigration

Pressés sur la dunette d'un paquet, des voyageurs disent au revoir à leurs parents. Un remorqueur aide le navire à sortir d'un des docks de Liverpool. Le trafic des paquets culmina vers 1850. Pour la seule année 1853, on enregistra 1 000 traversées depuis les îles Britanniques jusqu'en Amérique.

omme un essaim sur un pot de miel, ils s'agglutinaient sur un des flancs du bateau, se frayant difficilement un chemin parmi les cordages », écrivait un journaliste, en 1850, qui assistait à l'embarquement de passagers à bord d'un paquet à Liverpool. A la même date, un touriste constatait que la plupart, vêtus de haillons et voyageant dans l'entrepont, étaient « entassés sur un des côtés du bateau ou à l'arrière ». En revanche, quelques passagers bien habillés, munis de billets de cabine, franchissaient la coupée avec assurance, suivis de porteurs qui chargeaient leurs nombreux bagages.

Sur le quai régnait une atmosphère de fête. Des marchands de rubans, d'oranges, de bonbons, de miroirs de poche s'agitaient au milieu d'un amoncellement de ballots, de caisses d'eau, de bagages, d'une foule de voyageurs sur le point d'embarquer et de bonnes âmes bien intentionnées. Le bruit des flûtes, des violons et des cornemuses se mêlait aux pleurs des enfants et aux chants des matelots. Quand un paquet s'engagea enfin dans la Mersey, « les spectateurs levèrent leur chapeau et lancèrent de vives acclamations. Les passagers répondirent par une ovation que l'on dut entendre à plus d'un mille, devait ajouter le journaliste. L'espoir se trouvait enfin à leur portée et ils ne laissaient derrière eux que le souvenir de leur misère. »

A cette date, le courant d'émigration qui avait débuté plus de deux siècles auparavant avec les Pères pèlerins était sur le point d'atteindre son apogée. De 1846 à 1855, près de deux millions de personnes avaient franchi l'Atlantique à destination de l'Amérique, soit un million de plus qu'au cours des soixante-dix ans qui s'étaient écoulés depuis la guerre d'Indépendance. La plupart étaient de pauvres hères ou des épaves que les crises politiques ou les incessantes famines avaient amenés à s'expatrier. Certains se considéraient cependant comme des « colons », par opposition aux « émigrants », tels les militaires en demi-solde qui partaient fonder des exploitations agricoles dans le riche Nouveau Monde et pouvaient s'offrir le luxe de cabines confortables. On trouvait en leur compagnie des hommes d'affaires, des touristes désireux d'effectuer un voyage. Toute cette humanité contribua à faire des paquets, au cours de leurs navettes à travers l'Atlantique avec des chargements qui alimentaient le commerce des deux rives de l'Océan, les navires les plus actifs du monde.

Pour la plupart des individus observés par le journaliste de Liverpool et s'embarquant dans une atmosphère de fête, la traversée ne serait, en réalité, qu'un sinistre calvaire. Le fait n'avait d'ailleurs rien de nouveau. Depuis les débuts de la colonisation américaine, le passage représentait toujours une épreuve pour les émigrants. Dans les années 1840, les familles miséreuses connaissaient un tel entassement à bord des paquets que la mauvaise nourriture ou la maladie suffisaient à entraîner des effets désastreux. Les conditions de vie en mer ne s'améliorèrent qu'à partir du milieu du siècle, quand les paquets commencèrent à perdre du terrain devant les navires à vapeur et que l'exode à partir du vieux continent manifesta des signes de ralentissement. Mais, tant que des paquets continueraient à assurer la ligne, bien des voyages ressembleraient à d'affreux cauchemars.

Les traversées demandaient en moyenne de 35 à 40 jours, mais parfois le double si le bateau rencontrait du mauvais temps. Les passagers de pont, 800 personnes parfois, sur un bâtiment de 1 000 tonnes, étaient

Pour repérer d'éventuels voyageurs clandestins, un employé d'une ligne de paquets, juché sur la rambarde, procède à l'appel des passagers de pont avant le départ. Ceux qui ont répondu descendent vers l'entrepont. Pour détendre la foule au cours de cette formalité, certains employés entonnent des chansons comme « William Jones, show your bones ».

condamnées à rester confinées dans les locaux obscurs et nauséabonds de ce que l'on appelait l'entrepont, dont les dimensions ne dépassaient pas 30 mètres sur 8 ou 10. Trop souvent, ces locaux avaient été tout bonnement improvisés pour faire face au trafic croissant des émigrants. Les armateurs cherchaient à tirer parti de cette source nouvelle de profit en construisant un plancher fragile et provisoire entre le pont principal et le haut de la cale. Parfois, ce plancher était si bas que l'eau qui s'accumulait au fond filtrait à travers les planches. Des rats rôdaient en permanence. L'aération provenait des seules écoutilles et cette source d'air frais était soigneusement fermée en cas de mauvais temps. S'il y avait des sabords, ce qui était exceptionnel, ils se trouvaient placés si bas, à fleur d'eau, qu'il était interdit de les ouvrir à la mer et qu'ils ne jouaient aucun rôle pour l'éclairage. Les seules lumières se réduisaient à des lampes fumeuses accrochées aux barrots.

L'entrepont était encombré de couchettes, serrées les unes contre les autres et d'une longueur de 1,80 mètre. Elles étaient généralement superposées deux par deux, et parfois trois par trois. Comme la hauteur sous barrot ne dépassait pas 1,70 mètre, cette disposition laissait à peine 60 centimètres entre chaque lit, ne permettant pas à un passager de lire assis. Sur de nombreux bateaux, ces couchettes ne dépassaient pas 50 centimètres de large ; sur d'autres, elles se présentaient sous forme d'un carré de 1,80 mètre de côté et étaient prévues pour quatre personnes, mais en recevaient souvent bien davantage.

Un violent coup de roulis entraînait parfois l'effondrement des couchettes en mauvais état ou précipitait à terre des dizaines de passagers. Des enfants en larmes, des hommes lançant des jurons et des femmes poussant des hurlements se débattaient alors parmi les bagages, les vivres et les baquets d'eau sale, dans ce qu'un passager de pont devait appeler « une scène de misère et de désordre comme je n'en avais encore jamais vues ». Pendant les tempêtes, l'inconfort était encore aggravé par l'impossibilité de monter sur le pont. Les écoutilles pouvaient être fermées pendant une semaine ou plus, mais pas avant que des paquets de mer n'aient pénétré à l'intérieur et inondé la literie et les vêtements. Ces effets resteraient humides et dégageraient une affreuse odeur de moisi pendant toute la traversée.

De temps à autre, des révélations se faisaient jour sur les lamentables conditions des émigrants. En 1847, un propriétaire terrien écossais, du nom de Stephen de Vere, dont un oncle siégeait à la chambre des Lords, traversa l'Atlantique comme passager de pont pour étudier les conditions de traversée, que beaucoup de cultivateurs avaient connues. Il fut effaré par ce qu'il découvrit. Il fit part de son horreur à son oncle : « Des centaines de malheureux, hommes, femmes, enfants de tous âges, se trouvent entassés, sans air, au milieu des immondices et respirent une atmosphère fétide, en proie à la maladie et au désespoir. »

Le récit détaillé de de Vere fut présenté devant une commission du Parlement, où il souleva une telle indignation qu'il aboutit au Passenger Vessel Act de 1848. Cette loi précisait, entre autres mesures, que chaque passager devait disposer d'un espace mesurant 1,50 mètre de haut, 70 centimètres de large et 1,80 mètre de long soit un volume de plus de deux mètres cubes, l'équivalent de deux tonnes de chargement.

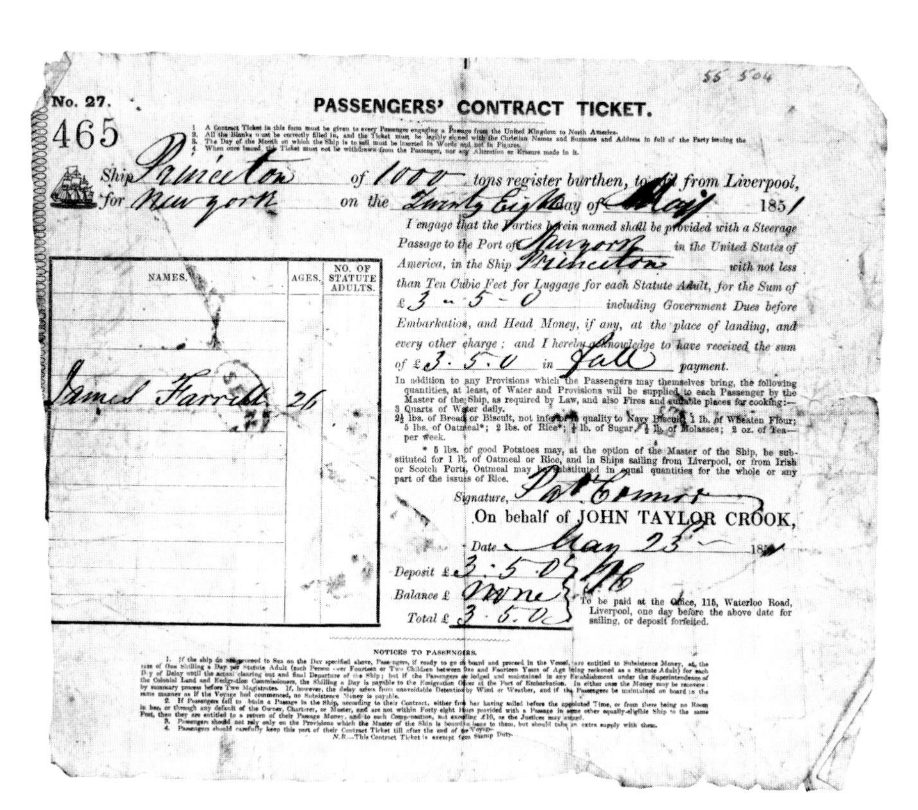

No. 27. 55 504

PASSENGERS' CONTRACT TICKET.

465

1. A Contract Ticket in this form must be given to every Passenger engaging a Passage from the United Kingdom to North America.
2. All the Blanks must be correctly filled in, and the Ticket must be legibly signed with the Christian Names and Surname and Address in full of the Party issuing the
3. The Day of the Month on which the Ship is to sail must be inserted in Words and not in Figures.
4. When once issued, this Ticket must not be withdrawn from the Passenger, nor any Alteration or Erasure made in it.

Ship Princeton of 1000 tons register burthen, to sail from Liverpool, for New york on the Twenty Eighth day of May 1851

NAMES.	AGES.	NO. OF STATUTE ADULTS.
James Farrell	26	

I engage that the Parties herein named shall be provided with a Steerage Passage to the Port of Newyork in the United States of America, in the Ship Princeton with not less than Ten Cubic Feet for Luggage for each Statute Adult, for the Sum of £3 – 5 – 0 including Government Dues before Embarkation, and Head Money, if any, at the place of landing, and every other charge; and I hereby acknowledge to have received the sum of £3 . 5 . 0 in full payment.

In addition to any Provisions which the Passengers may themselves bring, the following quantities, at least, of Water and Provisions will be supplied to each Passenger by the Master of the Ship, as required by Law, and also Fires and suitable places for cooking:—
3 Quarts of Water daily.
2½ lbs. of Bread or Biscuit, not inferior in quality to Navy Biscuit; 1 lb. of Wheaten Flour; 5 lbs. of Oatmeal*; 2 lbs. of Rice*; ½ lb. of Sugar; ½ lb. of Molasses; 2 oz. of Tea— per week.

* 5 lbs. of good Potatoes may, at the option of the Master of the Ship, be substituted for 1 lb. of Oatmeal or Rice, and in Ships sailing from Liverpool, or from Irish or Scotch Ports, Oatmeal may be substituted in equal quantities for the whole or any part of the issues of Rice.

Signature, Pat Connor
On behalf of JOHN TAYLOR CROOK,

Date May 23 1851

Deposit £3 . 5 . 0
Balance £ None
Total £3 . 5 . 0

To be paid at the Office, 115, Waterloo Road, Liverpool, one day before the above date for sailing, or deposit forfeited.

NOTICES TO PASSENGERS.

1. If the ship do not proceed to Sea on the Day specified above, Passengers, if ready to go on board and proceed in the Vessel, are entitled to Subsistence Money, at the rate of One Shilling a Day per Statute Adult (each Person over Fourteen or Two Children between One and Fourteen Years of Age being reckoned as a Statute Adult) for each Day of Delay until the actual clearing out and final Departure of the Ship; but if the Passengers are lodged and maintained in any Establishment under the Superintendence of the Colonial Land and Emigration Commissioners, the Shilling a Day is payable to the Emigration Officer at the Port of Embarkation. In either case the Money may be recovered by summary process before Two Magistrates. If, however, the delay arises from unavoidable Detention by Wind or Weather, and if the Passengers be maintained on board in the same manner as if the Voyage had commenced, no Subsistence Money is payable.
2. If Passengers fail to obtain a Passage in the Ship, according to their Contract, either from her having sailed before the appointed Time, or from there being no Room in her, or through any default of the Owner, Charterer, or Master, and are not within Forty eight Hours provided with a Passage in some other equally-eligible Ship to the same Port, then they are entitled to a return of their Passage Money, and to such Compensation, not exceeding £10, as the Justices may award.
3. Passengers should not rely only on the Provisions which the Master of the Ship is bound to issue to them, but should take an extra supply with them.
4. Passengers should carefully keep this part of their Contract Ticket till after the end of the Voyage.

N.B.—This Contract Ticket is exempt from Stamp Duty.

Pour un prix de trois livres cinq shillings, près de la moitié d'une année de revenu pour bien des tenanciers irlandais, ce billet offre un passage de Liverpool à New York à bord du paquet Princeton. *Le contrat prévoit eau, nourriture, espace pour cuisiner et une « allocation » d'un shilling par jour et par personne, au cas ou l'appareillage de Liverpool serait retardé.*

Pour les armateurs, il s'agissait là d'une règle inacceptable sur le plan du profit. Aussi décidèrent-ils de l'ignorer.

En fait, le Parlement hésitait à intervenir dans le trafic commercial, contrairement au Congrès des États-Unis, qui multipliait les réglementations, de l'autre côté de l'Atlantique. Même dans les ports où se trouvaient des inspecteurs, les bateaux se pliaient bien à une visite, mais dès qu'ils se trouvaient au large ils embarquaient des passagers supplémentaires à partir de navires auxiliaires. Point n'était besoin parfois d'avoir recours à ce genre de subterfuge. Par exemple, Liverpool, le plus important port d'émigration, disposait bien de trois inspecteurs. Mais dès que le vent devenait favorable, une trentaine de navires pouvaient appareiller presque en même temps à partir d'appontements qui s'allongeaient sur une distance de cinq kilomètres. Il devenait dès lors impossible de les inspecter.

La plupart des bâtiments d'émigrants ne prévoyaient aucune séparation entre les sexes. Des hommes ou des femmes seuls se voyaient obligés de partager des couchettes, parfois même avec des couples mariés. Alors qu'on demandait à un officier comment les relations conjugales pouvaient bien se passer en l'absence complète d'intimité, il se contenta de répondre : « La question ne présente aucune difficulté ; cet exercice se produit régulièrement toutes les nuits, suffisamment pour les maintenir en forme. » Peut-être. Il n'en reste pas moins que, pour nombre de passagers, cette promiscuité tenait du cauchemar. En 1851, un pasteur déclara devant une commission d'enquête du Parlement que des femmes préféraient passer toute la nuit assises sur un coffre plutôt que d'accepter de coucher sous la même couverture qu'un inconnu. Des témoignages de ce genre contribuèrent à faire accepter, l'année suivante, les dispositions d'une nouvelle loi sur les passagers prévoyant que les hommes seuls coucheraient à part, dans un poste séparé de l'entrepont. Une fois de plus, cependant, les commandants et les armateurs préférèrent ignorer la loi.

L'entassement des personnes ne pouvait qu'aggraver la puanteur et la saleté du navire. Quand un inspecteur du gouvernement canadien visita le paquet *Lady Macnaughton* à son arrivée, il constata que les rares emplacements libres de l'entrepont étaient « jonchés de débris de biscuits, d'os, de chiffons défiant toute description, en pleine décomposition et remplis de vers. »

Il y avait pire que la saleté : les odeurs. D'abord celles que l'on trouvait à bord de tous les bateaux, liées au marais nautique et à la pourriture constante de la coque. S'y ajoutaient les effluves persistants d'anciennes cargaisons, associées à de nouvelles émanations comme celles des corps crasseux. Herman Melville, qui avait été matelot à bord d'un transatlantique, devait rappeler qu'au bout d'une semaine à peine « se pencher au-dessus de l'écoutille avant provoquait le même effet que l'ouverture brutale d'une fosse d'aisance ».

Quand il y avait des toilettes, et c'était loin d'être la règle, elles se trouvaient généralement sur le pont, inaccessibles aux passagers affaiblis. En cas de tempête, elles étaient interdites à tout le monde. Le plus souvent, de simples baquets étaient installés dans les batteries, avec ou sans siège. Quand le mal de mer exerçait ses ravages, l'affluence aux toilettes était telle que bien des passagers vomissaient dans leur couchette. Quant à l'eau pour la toilette, difficile d'en trouver, et se laver

Ces dessins de l'Illustrated London News permettent de comparer deux types d'installations d'entrepont. Les plus mauvais bâtiments entassaient jusqu'à huit personnes par couchette. Les meilleurs offraient le luxe de tables et de bancs.

était parfois même interdit pour préserver le plancher de la pourriture.

Les passagers de pont ne supportaient pas seulement les effets de l'entassement et de la saleté. Ils devaient survivre pendant des semaines ou des mois avec un régime de famine, qui, selon le mot d'un armateur, « était suffisant pour ne pas mourir de faim, mais insuffisant pour parvenir à subsister à peu près normalement ». Un passager qui témoigna devant une commission d'enquête du Parlement en 1844 décrit leur état : « Leur santé était si délabrée qu'ils avaient perdu toute force et qu'ils se révélaient incapables de s'aider. » Les statistiques sont éloquentes : près de dix p. cent des émigrants moururent en mer et cette moyenne grimpa à seize p. cent certaines années. Après leur débarquement, les survivants souffraient de malnutrition.

Au début de la grande migration transatlantique, les passagers devaient pratiquement emporter tout le ravitaillement nécessaire pour la durée du voyage. Par la suite, la loi britannique obligea les paquets à fournir une certaine quantité de vivres mais tellement insuffisante qu'elle compromettait l'état de santé des voyageurs. Chaque paquet devait en effet approvisionner tout passager adulte de deux livres et demie de biscuits, une livre de farine de blé, cinq livres de farine d'avoine, deux livres de riz, une once de thé, une demi-livre de sucre et une demi-livre de mélasse. Cinq livres de pommes de terre pouvaient remplacer l'avoine ou le riz. Un médecin, auquel on demandait si cette ration était suffisante, répondit : « Je ne crois pas ; je sais qu'elle est inférieure à celle que vous donnez à vos domestiques. » Jusqu'en 1848, la ration minimale ne comprenait ni viande ni légumes verts.

Comme on pouvait s'y attendre, commandants et armateurs conjuguèrent leurs efforts pour ne pas fournir ce minimum alimentaire. Sous le regard inquisiteur des autorités portuaires, certains capitaines embarquaient les vivres réglementaires pour les renvoyer ensuite à terre. Ils récupéraient ainsi le montant des marchandises. S'ils conservaient ces vivres à bord, ils ne pouvaient résister à l'envie de les vendre aux passagers à un taux exorbitant, au mépris de la loi.

Une foule de guides de voyage obéissant à de bonnes intentions mais bien souvent inutilisables, vendus à d'innombrables exemplaires durant les années d'intense émigration, instruisaient les futurs passagers de la quantité de vivres nécessaires au cours de la traversée. L'un de ces livres avertissait les innocents émigrants que la nourriture distribuée à bord était « à peine bonne pour les cochons ». Un autre conseillait d'emporter pour un voyage de 60 à 70 jours et pour 5 personnes : 20 livres de bacon, 50 livres de poisson, 672 livres de pommes de terre, et d'autres denrées. Même s'il avait été possible de conserver à bord de telles quantités de vivres, leur prix aurait largement dépassé les 3 livres 5 shillings que les émigrants déboursaient déjà à grand-peine pour acquitter le montant de la traversée.

Pour ces passagers, se procurer du ravitaillement ne représentait que la moitié du problème. Il fallait encore préparer les repas. Sur la plupart des bateaux, le nombre de fourneaux installés sur le pont était insuffisant pour répondre aux besoins des centaines de personnes qui cherchaient à les utiliser. Quand la mer était mauvaise, l'accès à la cuisine était interdit. Frederick Marshall, un habitant de Liverpool qui avait transformé un magasin du port en pension de famille pour émigrants en instance de départ, effectua lui-même une traversée, probablement pour savoir comment étaient nourris ses clients après l'avoir

Cette bande dessinée parue en 1833 représente l'Amérique comme une terre désolée, infestée de serpents, d'alligators, d'Indiens cruels et d'autres calamités. Elle se termine par un avertissement à l'intention du malheureux colon : « Préparez votre billet de retour. » De fait, au cours de l'année 1855, plus de 18 000 colons rentrèrent à Liverpool.

EMIGRATION.
Detailing the Progress and Vicissitudes of an Emigrant !!
Dedicated to all those, who would leave their native Country to seek a better condition in a distant Foreign Land.
Adieu my Native Land adieu —
Embarking with your Family for America — taking leave of Albion's white Cliffs. — — No more Taxes —
"On the wide and boundless Sea" — Rolling mountains high, a month on the Atlantic. Provisions nearly exhausted or spoil'd, but no lack of hard Junk and Putrid Water —.
Landing at an American Port more dead than alive — the Cholera raging — Coffins as common as packing cases — half a mind to go back again.
Make R oom there below for 20 more
This is all yours, 20 good acres of it — must be cleard away before you can grow even a single Turnip
Sailing up the St Laurence in an American Boiler — stow'd in a hold very like the black hole of Calcutta — all got a Fit of the American Ague — Thermometer at 100.
Arrived at your allotment on the borders of a huge Canadian Forest under the guidance of an imposing agent — and which must be cut, clear'd, spaded & till'd, before you can Settle (no work no eat)
Strolling in the Woods — and having an interview with the Natives
In exploring the neighbouring land, you tumble over an Alligator — makes him run — the devil catch the hindmost ! —
Visited by a Settler not the Taxgatherer —
Lawk Father there's a lot of Pigs
Pigs boy ! why they are Rats !
Why Friend you havnt dug up all your Stumps yet — you get on rather slowly with your Farm —
A Twelve month's residence — having an addition to your family already too many — sitting after a day's toil at your door — drop a tear for despised England, yes "England with all thy faults I love thee still" — a Spider as big as a crabb spins a web on your hat, & a Scorpion creeps into your Hut unobserved takes a lodging under the bed & gives birth to a numerous brood —
Sleeping under Buffalo skins lined with fleas as big as blue Bottles — alarmed in the night by a colony of Rats in your room — whose Ferocity almost bids fair to take final possession —
A melancholy prospect — after 2 years trial of your Farm can turn it to no account — Visited by a neighbour the nearest by 5 miles, who sees no reason why you a small Farmer with a large family should not be like him in about 12 or 14 years by dint of perseverance — & altho he openly condoles with you, is laughing in his sleeve at you quiting the land of Prayers Taxes & Petitions —
Home sweet home there's no place like home
Your Hut on Fire for the 3d time — goods & chattels included — no engines no water nor Neighbourly assistance not insured — & no prospect of Subscription or Parish relief — sits down unable to do any thing & witness the destruction of your little all — untill the dry grass catches Fire & compels you to run off your own estate —
Fall into the hands of the Cannibals — you & your family's lives at Stake — being roasted for a Feast yourself escapes by a miracle —
The Finale or wind up — Poor Friendless & Broken down — like Robinson Crusoe on an uninhabited Island looking out for a Ship to convey you back to Old England works your passage back & lend your Money cans Friends & runs every thing !!!
C J Grant Invent Del & Lith
Pub by J. Pattie Bookseller 16 High St Bloomsbury opposite St Giles Church, London

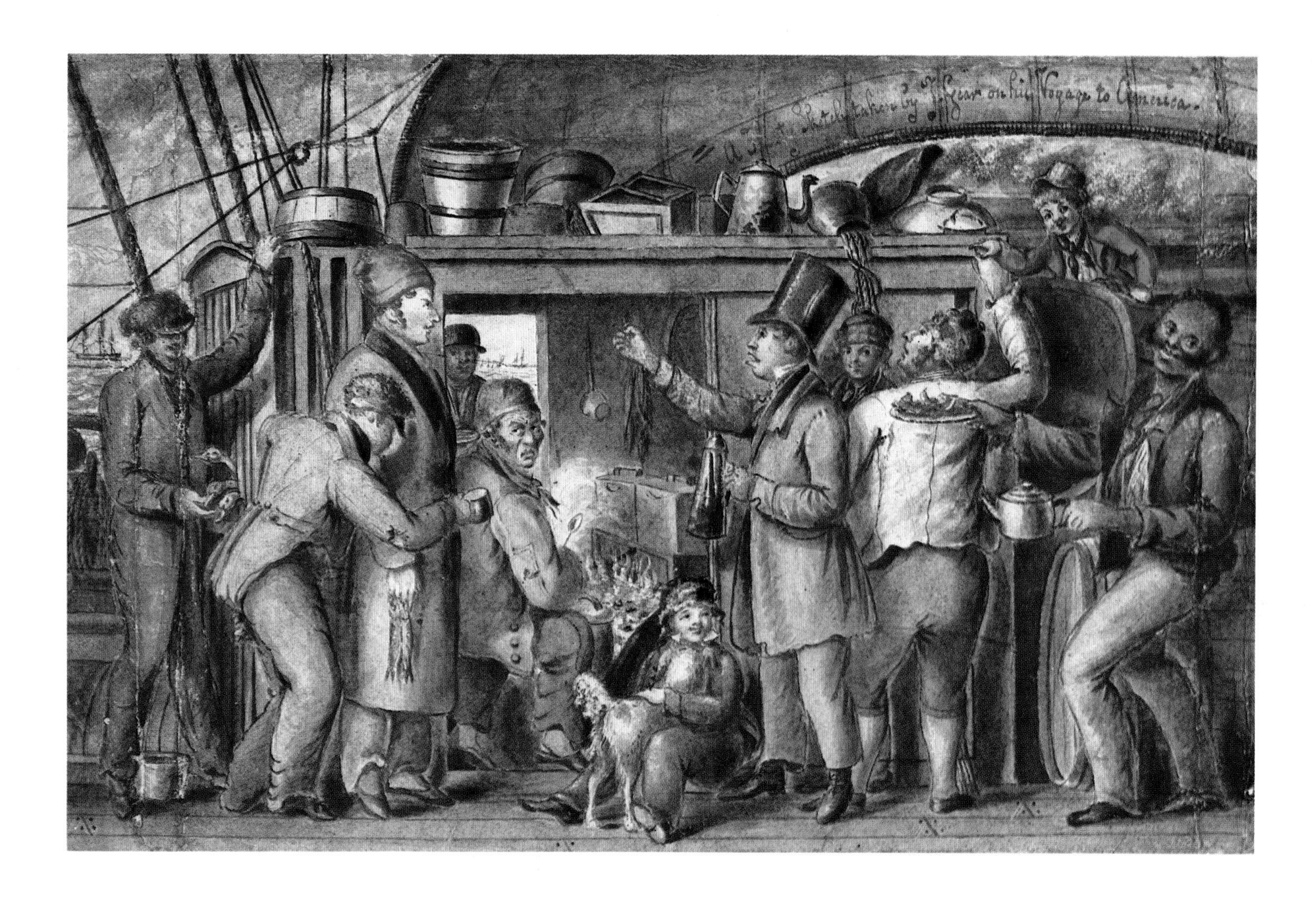

Le cuisinier jette un regard furieux aux passagers qui assiègent sa cuisine. Les billets donnaient droit à des rations de céréales, de thé et d'eau. Mais certains préposés exigeaient une rétribution en échange de leurs services.

quitté. Ses constatations se révélèrent déprimantes. Le navire avait embarqué 400 passagers. Six voyageurs seulement pouvaient simultanément utiliser les fourneaux, et du matin au soir se livrait une bataille constante pour y accéder. Marshall remarqua qu'une femme seule avait bien peu de chances de s'imposer dans ce combat et que la plupart souffraient sans arrêt de la faim.

Sur un autre bâtiment, un voyageur constata que les cuisiniers préparaient bien des repas pour les passagers de pont, mais à condition d'être payés. Ceux qui pouvaient leur donner du whisky ou de l'argent bénéficiaient de cinq repas chauds par jour. Quant à ceux qui ne pouvaient rien offrir en échange, ils ne recevaient qu'un seul repas par jour, voire tous les deux jours.

Le ravitaillement en eau était tout aussi parcimonieux. D'après la réglementation anglaise, chaque adulte avait droit à 3 litres et demi par jour d'eau pure. Mais bien des navires se contentaient de faire de l'eau dans la rivière où ils mouillaient; elle n'était donc pas potable dès le départ. La loi précisait encore que l'eau devait être conservée dans des « barils non corrompus », c'est-à-dire n'ayant pas contenu des produits comme le vin, l'indigo ou le tabac. Mais, de nombreux commandants utilisaient tous les récipients qui leur tombaient sous la main. Même si l'eau était potable au départ, elle ne tardait pas à s'altérer. Un passager qui se trouvait à bord d'un navire où l'eau était enfermée dans des tonneaux de vin se rappelait que ces fûts étaient « sales, boueux, et que le liquide qui en sortait ressemblait à une eau croupie nauséabonde ». Un autre reçut une ration d'eau « aussi limpide que celle qui coule dans un ruisseau après un orage ». Le seul remède consistait à ajouter du vinaigre. Son acidité éliminait la pourriture sans en améliorer le goût.

Bien loin de sympathiser avec les passagers de pont, certains équipages s'ingéniaient à aggraver leurs tourments. Des matelots s'intéressaient spécialement aux femmes et n'hésitaient pas à voler parfois les maigres biens des voyageurs. « Notre trafic est l'un des pires qui soient pour les matelots », reconnaît un homme dont la vie s'était écoulée en grande partie dans le commerce de l'émigration comme vendeur de billets à Liverpool. « En réalité, nous avons une catégorie de personnes qui embarquent surtout dans l'intention de rançonner les passagers beaucoup plus que pour prendre la mer. »

L'alcool circulait généreusement sur la plupart des navires, « parce qu'il profite au capitaine, qui spécule sur le grog », notait un témoin ; pour un équipage facilement hargneux, la boisson débouchait fréquemment sur le pire sadisme. Sur un paquet, des matelots braquèrent des lances à incendie sur les passagers juste au moment où le bateau entrait dans le Saint-Laurent, par une froide journée d'automne. Sur un autre bâtiment, un groupe d'Allemands, de Suédois et de Hollandais voyageant dans l'entrepont tomba sous la coupe d'une véritable bande. Frappés avec des bouts de filins, ils furent obligés de s'atteler aux pompes à la place de l'équipage.

Le *Washington*, de 1 655 tonnes, de la Black Star bénéficiait d'une réputation particulièrement détestable, en raison des mauvais traitements infligés en 1851 aux passagers de pont. Cette réputation dérivait du rapport explosif rédigé par un notable philanthrope irlandais, Vere Foster, qui avait navigué en cabine sur ce bateau, tout en observant le sort réservé à ses malheureux compagnons de voyage de l'entrepont. Le premier incident d'une longue série se produisit dès que le navire appareilla. Les 900 passagers de l'entrepont reçurent l'ordre de monter, tous en même temps, sur le pont pour recevoir de l'eau. Il en résulta une inévitable bousculade. Furieux, les officiers se mirent à frapper et à injurier les malheureux. Dans la confusion, une trentaine de personnes seulement purent remplir leurs récipients.

Au cours des cinq journées suivantes, les officiers refusèrent de servir la moindre nourriture, condamnant ceux qui ne disposaient d'aucune provision à être tenaillés par la faim. Foster osa demander quand les passagers seraient nourris. Pour le punir, il fut frappé au visage par le premier lieutenant et battu comme plâtre.

Des provisions furent enfin distribuées. Mais Foster eut la curiosité d'en vérifier la quantité grâce à une mesure qu'il avait apportée avec lui. Il constata que les passagers n'avaient reçu qu'une demi-ration de biscuit et de thé, des rations limitées d'orge, de mélasse et de riz, et aucune de vinaigre et de porc pourtant prévues par le contrat.

D'autres incidents devaient suivre. Une épidémie de dysenterie se déclara parmi les passagers et le médecin du bateau refusa de se hasarder dans l'entrepont pour visiter les malades. Quand ceux-ci réclamaient des médicaments, il répondait : « Ils n'ont qu'à venir me voir. » Un des voyageurs, lui-même médecin, essaya d'organiser une collecte pour obtenir les bonnes grâces du médecin de bord. Il ne récolta pas la moindre obole. Certains firent remarquer, avec humour, qu'ils étaient au contraire tout prêts à verser un shilling pour l'achat d'une corde qui permettrait de pendre le médecin.

Peu de médecins se montraient cependant aussi désinvoltes que celui du *Washington*. Les plus dévoués se trouvaient en réalité paralysés en cas d'épidémie sur le pont. Trois maladies sévissaient de manière chronique: le choléra, la variole et le typhus. Leur fréquence était telle qu'un commandant en arrivait à écrire: « On peut s'étonner que tant de passagers résistent ainsi à la traversée. »

En principe, aucun émigrant ne devait embarquer sans avoir subi une visite médicale de la part d'un médecin agréé par le gouvernement. Dans la pratique, cet examen était superficiel, du moins quand il avait lieu. Un émigrant devait raconter son expérience: « Quand je passai devant le médecin, il me demanda sans prendre même le temps de respirer "Comment vous appelez-vous? Vous sentez-vous bien? Tirez la langue; parfait, merci." Il s'adressa ensuite au suivant. » Ces médecins recevaient une livre pour cent personnes examinées. Un fonctionnaire du bureau d'émigration de Londres assurait que les médecins du gouvernement examinaient deux cents personnes à l'heure, soit un gain très confortable compte tenu des normes de l'époque.

Le choléra, une infection intestinale de la plus haute gravité, constituait un cas particulièrement délicat sur les navires, d'autant plus que des épidémies sévissaient régulièrement dans les îles Britanniques. Des cas de choléra risquaient de paralyser un navire, puisque personne ne savait traiter cette maladie. En guise de traitement, certains préconisaient une potion de sels d'Epsom et d'huile de castor. Ils conseillaient également de frotter le visage du malade avec du vinaigre, probablement à titre d'astringent, et de lui donner 35 gouttes de laudanum, un calmant à base d'opium. Dans la pratique, les médecins en étaient réduits à utiliser tout ce qu'il y avait dans leur trousse et à employer des médicaments d'une efficacité aussi douteuse que la crème de tartare, la menthe, la poudre de rhubarbe ou des pilules dont on vantait les mérites dans les ports et susceptibles de guérir 36 indispositions.

Quand le choléra faisait son apparition, il se répandait à une vitesse affolante. Lorsque le paquet *Brutus* quitta Liverpool en 1832, la maladie se trouvait déjà à l'état d'incubation parmi les 330 passagers d'entrepont. Neuf jours après l'appareillage, le premier cas fut signalé. La maladie ne tarda pas à s'étendre à tout le *Brutus*. Vingt-quatre passagers moururent en une seule journée. Quand des matelots furent atteints à leur tour, le commandant décida de faire demi-tour. Au moment où le bateau regagna le port, dix jours plus tard, 83 personnes avaient succombé. Les survivants, 200 passagers et hommes d'équipage, contaminèrent Liverpool et l'épidémie s'étendit même au-delà.

Au lieu de rebrousser chemin, la plupart des capitaines continuaient leur route, condamnant de nombreux passagers à une mort certaine. Quand une nouvelle épidémie de choléra éclata sur les transatlantiques en 1853, on constata que, sur 312 bateaux arrivés à New York en quatre mois, il n'y en avait pas moins de 47 touchés par la maladie. Sur 96 000 passagers, 1 993 avaient été immergés.

Les épidémies de variole étaient moins fréquentes, mais beaucoup plus redoutées. La maladie s'accompagnait souvent de complications: pneumonie, encéphalite, empoisonnement du sang, sans compter d'au-

Cet avertissement, affiché en 1853, invite les passagers à s'habiller chaudement et à se nourrir convenablement pour se prémunir contre le choléra. La véritable cause de la contagion provenait du contact avec des excréments humains, difficile à éviter dans des bâtiments surpeuplés, où les passagers de pont utilisaient des baquets collectifs qui n'étaient pas vidés chaque jour.

TO EMIGRANTS.

CHOLERA.

CHOLERA having made its appearance on board several Passenger Ships proceeding from the United Kingdom to the United States of America, and having, in some instances, been very fatal, Her Majesty's Colonial Land and Emigration Commissioners feel it their duty to recommend to the Parents of Families in which there are many young children, and to all persons in weak health who may be contemplating Emigration, to postpone their departure until a milder season. There can be no doubt that the sea sickness consequent on the rough weather which Ships must encounter at this season, joined to the cold and damp of a sea voyage, will render persons who are not strong more susceptible to the attacks of this disease.

To those who may Emigrate at this season the Commissioners strongly recommend that they should provide themselves with as much warm clothing as they can, and especially with flannel, to be worn next the Skin; that they should have both their clothes and their persons quite clean before embarking, and should be careful to keep them so during the voyage,—and that they should provide themselves with as much solid and wholesome food as they can procure, in addition to the Ship's allowance to be used on the voyage. It would, of course, be desirable, if they can arrange it, that they should not go in a Ship that is much crowded, or that is not provided with a Medical Man.

By Order of the Board,

S. WALCOTT,
SECRETRAY.

Colonial Land and Emigration Office,
8, Park Street, Westminster,
November, 1853.

Sous la lumière blafarde d'une lanterne, une femme s'évanouit dans un entrepont encombré de malades. Cette gravure parue en 1803 dans le Harper's Weekly dénonçait les conditions d'existence à bord des paquets. Au cours d'une seule traversée entre Liverpool et New York, un bateau enregistra 20 décès à son bord.

tres maux. En 1845, un passager de cabine raconta que, lorsqu'un des voyageurs de l'entrepont avertit le commandant que la variole s'était déclarée à bord, le capitaine, qui avait pourtant affiché des « nerfs solides » au cours d'une tempête, « se mit à verdir dès qu'il entendit prononcer le nom horrible de ce châtiment de Dieu. »

Le pire fléau qui pût s'abattre sur les navires était le typhus, une maladie provoquée par les poux qui affectait la peau et le cerveau des malades. Elle se traduisait par des vertiges, des maux de tête et des douleurs dans tout le corps, des éruptions rougeâtres, des yeux injectés de sang, et un regard fixe, halluciné d'homme ivre. Le typhus était si répandu dans les milieux où régnait la promiscuité qu'on lui avait donné pendant des siècles le nom de « fièvre des prisons » ou « fièvre des camps ». Quand l'émigration par mer atteignit son point culminant, la maladie prit automatiquement le nom de « fièvre des vaisseaux ». Elle s'abattit sur les paquets avec une violence particulière en 1847, au moment où la maladie de la pomme de terre provoquait une épouvantable famine parmi les paysans irlandais. Suivant l'expression de l'époque, les grands propriétaires se « débarrassaient à la pelle » de leurs tenanciers, le plus rapidement possible.

Cette année-là, le *Lord Ashburton*, de Liverpool, perdit 107 de ses 475 passagers de pont au cours d'une seule traversée. Le *Virginius* en vit disparaître 158 sur 596 et son commandant mourut le lendemain de son retour. Sur le *Sir Henry Pottinger*, 98 sur 399 furent immergés, et 108 sur 440 en ce qui concerne le *Larch*. « Le Blackhole de Calcutta était un eden par rapport à ces navires », constatait le *Times* de Londres. En définitive, cette année-là, sur 250 000 émigrants 20 000 moururent au cours de la traversée, ou peu après. La majorité avait été enlevée par le typhus. Dans les annales de la grande migration océanique, 1847 devait être connue sous le nom de « l'année de la peste ».

Un passager de cabine du nom de Robert Whyte, qui voyageait sur un petit bâtiment ayant quitté Dublin le 30 mai 1847, a laissé un récit extrêmement pittoresque de l'existence à bord d'un navire touché par une épidémie. Les 200 émigrants qui avaient pris place sur le bateau étaient visiblement sous-alimentés et nullement « en état d'affronter les rigueurs d'une longue traversée ». Ils avaient cependant passé la visite médicale préliminaire et reçu l'autorisation d'embarquer. Dix jours après le départ, des femmes tombèrent sérieusement malades. A mi-route, deux cas de dysenterie et six de la « fièvre des vaisseaux » se manifestèrent. Il n'y avait pas de médecin à bord. C'est la femme du commandant, que les passagers allaient appeler la « maîtresse », qui se consacra aux malades, en dépit de l'opposition de son mari, hostile à la voir pénétrer dans un entrepont devenu un foyer de pestilence.

« La maîtresse », d'après le récit de Whyte, « se mit à préparer des remèdes et des potions dans l'espoir que des soins préventifs empêcheraient la maladie de s'étendre. » Ses prescriptions pour la dysenterie,

La cloche des chantiers de l'East River

La plupart des émigrants finissaient par s'embaucher dans les chantiers navals, où étaient construits les paquets. Ils partageaient le sort peu enviable de leurs camarades.

Pendant toute l'ère des paquets, le centre des constructions se trouvait le long de l'East River, à Manhattan. Une douzaine de chantiers allaient y lancer près de 160 bateaux. Les entrepreneurs embauchaient charpentiers, menuisiers et calfats du matin au soir. En été, la journée s'étendait de 4 heures 30 à 19 heures 30. Les ouvriers appelés « mécaniques », comme la plupart des travailleurs spécialisés du XIXe siècle, gagnaient 1,25 dollar par jour. C'était un salaire décent, à une époque où une chambre et les repas revenaient à 5 dollars par mois, mais inacceptables compte tenu des heures de présence.

C'est alors qu'arrivèrent les émigrants, fuyant l'Europe et ses conditions de travail pénibles et animés par une vision idéalisée de la liberté américaine. Ils pensaient qu'aux États-Unis les ouvriers réussiraient à se libérer des contraintes et leur exemple se montra contagieux. En 1831, les « mécaniques » de trois chantiers décidèrent de ne pas travailler plus de dix heures par jour.

Sans que l'on en connaisse les raisons, les propriétaires des chantiers acceptèrent cette revendication en promettant de ne pas la contester ultérieurement. Les ouvriers construisirent une tour de 8 mètres surmontée d'une cloche qui sonnait six fois par jour, à 6 heures, au début du travail, aux heures de repas, déjeuner qui durait une heure, et dîner, et à 18 heures enfin, au moment de rentrer.

Le désir d'obtenir de meilleures conditions ne fit naturellement que se développer, renforcé par les sonneries quotidiennes de la cloche, qui évoquait la puissance de la solidarité des travailleurs. En 1833, les ouvriers réclamèrent une réduction d'horaire. Les patrons proposèrent une augmentation de deux dollars par jour, pour le même temps de travail. Les « mécaniques » résistèrent et donnèrent à leur mouvement l'allure d'arrêts de travail sporadiques. Craignant de perdre les ouvriers qualifiés et de voir baisser la production, les propriétaires acceptèrent. Peu après, ils durent aussi accorder l'augmentation de deux dollars.

En 1834, les ouvriers édifièrent une nouvelle tour avec une « cloche des mécaniques ». Pendant 63 ans, elle suivit le déplacement des chantiers et son tintement continua à marquer le début et la fin de la journée de travail, jusqu'à la fin du XIXe siècle.

des gouttes de laudanum mélangées à du porridge, donnèrent l'impression de soulager les malades. Mais elle ne pouvait guère faire grand-chose à ceux qui étaient atteints du typhus. Pour ajouter encore à une situation désastreuse, plusieurs tonneaux d'eau se mirent à fuir et la marche du navire apparaissait plus lente que prévu. Le commandant dut alors rationner et l'eau et les vivres.

Le nombre de cas de fièvre atteignit alors une trentaine, avec des symptômes extrêmement pénibles à observer. Une femme s'évanouit alors qu'elle faisait chauffer une infusion pour son mari. Une petite fille en train de jouer eut une syncope brutale. Quand elle reprit conscience, elle se mit à pleurer et fut secouée de convulsions. Whyte vit une femme dont « les pieds enflés avaient doublé de volume et qui était couverte de taches noires nauséabondes ». Elle ne tarda pas à mourir et son corps fut immergé dans l'Atlantique sans la moindre cérémonie.

Au bout de 34 jours, le 3 juillet, le navire atteignit enfin le grand banc de Terre-Neuve, par un brouillard épais. Le long de la côte, on entendait les cloches des bateaux de pêche. Pour les avertir de sa présence, le navire d'émigrants lança plusieurs appels lugubres avec sa corne de brume. Mais, pour Whyte, le bruit le plus déprimant, au cœur de ce brouillard, émanait des 37 victimes du typhus en proie au délire.

Le 22 juillet, le bâtiment pénétra dans le Saint-Laurent. Les réserves d'eau potable avaient tellement diminué que les passagers de pont reçurent l'ordre d'utiliser l'eau saumâtre de la cuisine. Plusieurs malades qui avaient paru sur le point de guérir connurent une rechute.

La cloche des « mécaniques » monte la garde sur l'East River. Elle devait être fondue pendant la Seconde Guerre mondiale.

Grâce au dévouement de la femme du commandant, et grâce également à la chance, on ne comptait que six décès. A l'arrivée, après deux mois de traversée, une douzaine de passagers restaient gravement malades et il fallut les séparer de leur famille et les hospitaliser. A l'heure de la séparation, « leurs cris me fendaient le cœur, devait dire Whyte. J'espère bien ne plus jamais assister à un tel spectacle ».

A partir de 1830, quand des navires affectés par le choléra avaient commencé à débarquer des nuées de malades sur la côte est, les Américains essayèrent différentes formes de protection. Au Canada, Grosse Ile, située sur le Saint-Laurent, à 350 milles de l'estuaire, devint une station de quarantaine pour les bateaux qui devaient poursuivre leur voyage vers Québec ou Montréal. Des installations du même genre se trouvaient plus au sud, à Boston, Philadelphie et New York. Elles devaient empêcher l'extension de la maladie. En fait, cette barrière se révéla bien souvent une simple passoire.

La visite médicale des passagers à l'arrivée était aussi superficielle que celle qui intervenait avant le départ de Liverpool car il y avait beaucoup trop de gens à examiner. A l'apogée du trafic transatlantique, 1 600 navires arrivaient chaque année et un bon nombre portaient près de 1 000 passagers. La visite ne concernait d'ailleurs pas tout le monde. Les commandants ne tenaient généralement pas à subir une immobilisation d'un mois si des cas de maladie étaient découverts à bord de leurs bateaux. Ils n'hésitaient pas à recourir à des ruses, cachant les malades à l'intérieur du navire ou les débarquant sur la côte du New Jersey. Même si les inspecteurs obligeaient un bâtiment à purger une quarantaine d'un mois, des émigrants réussissaient à débarquer et à gagner New York à bord de chalands.

Les épidémies pouvaient aussi bien se répandre par des objets que par des gens. Au moment où un navire entrait dans le port, les passagers jetaient par-dessus bord paillasses et tous les effets de rebut. Ces objets pouvaient être rejetés par la marée sur une île et recueillis par des chiffonniers. Tout ce qui pouvait encore servir était alors introduit dans la ville et vendu, en dépit d'une élémentaire hygiène.

Pour faire face à ce danger sanitaire de plus en plus sérieux, le port de New York aggrava la sévérité des mesures de quarantaine jusqu'en 1847. Une taxe de 1,50 dollar fut instituée sur tous les passagers qui arrivaient, de manière à assurer l'entretien de la station de quarantaine et son hôpital. Cette lourde taxe eut un effet de dissuasion sur les émigrants les plus pauvres. Mais elle ne facilita pas la tâche des autres ports d'immigration. Quand les paquets s'aperçurent qu'ils rencontreraient des difficultés à New York, ils se dirigèrent sur Montréal ou Québec. Cette année-là, la station de Grosse Ile se trouva submergée sous le flot des arrivants.

Le docteur George Douglas, le chef du service médical de l'île, disposait, au moment de l'ouverture de la station, le 4 mai 1847, d'une équipe composée d'un domestique, d'un aide soignant et d'une infirmière. L'hôpital pouvait accueillir 200 personnes. Dix jours plus tard, le premier bâtiment de la saison, le *Syria*, venu de Liverpool, accosta avec 243 passagers, dont 52 malades. Neuf personnes étaient mortes au cours de la traversée. Le dixième décès intervint à Grosse Ile, le lendemain même de l'arrivée. Au cours des journées suivantes, d'autres navires se présentèrent. Le 28 mai, on enregistrait 856 cas de

Ces dessins tournent en dérision les passagers de cabine qui n'avaient pas le pied marin. « En pleine purée de pois, ils roulaient sur le pont, vomissaient et se vautraient comme des porcs, souillant leurs affaires », écrivait un voyageur.

Mr. Slim en retard se voit obligé de rejoindre à la rame son vaisseau.

Il parvient au navire mais éprouve quelque difficulté à monter à bord.

Cent milles en mer. Un fameux coup de tabac. Si je regagnais ma cabine...

Mr. Slim dans sa cabine. Position n° 2.

typhus et de dysenterie dans l'île, tandis que 470 malades restaient à bord de bateaux mouillés en rade. Trente-six autres navires, contenant plus de 13 000 passagers, attendaient l'inspection. L'hôpital était envahi de malades et de mourants et il avait fallu édifier des baraquements et dresser des tentes. Le docteur Douglas tentait fébrilement de recruter une équipe de médecins, d'aides-soignants et d'infirmières. Certains refusèrent de venir. En tout cas, sur les 26 personnes qu'il avait réussi à enrôler au début de juin, 23 tombèrent malades en moins de trois semaines. Il se trouva constamment à court de personnel capable de soigner les malades et d'enterrer les morts.

Un certain malaise, mais jugeant opportun de se sustenter, il se met à table.

Se sentant mieux il s'aventure sur le pont. Curieux aspect des choses en général.

Retour du vague à l'âme. Mieux vaut rentrer dans ma cabine.

Mr. Slim dans sa cabine. Se demande s'il ne va pas être terrassé par le mal de mer.

Le 8 juin, le médecin écrivit une lettre pessimiste au chef du service de l'émigration à Québec: «Sur les 4 000 ou 5 000 émigrants qui ont quitté l'île depuis dimanche, 2 000 au moins retomberont malades dans moins de trois semaines. Il faut prévoir l'accueil de ces 2 000 personnes à Montréal et Québec, d'autant plus que tous les passagers en provenance de Cork et de Liverpool étaient à moitié morts de faim et de misère avant leur départ.» Ces gens qui avaient accompli la traversée de l'Océan dans l'espoir d'un avenir meilleur offraient un aspect singulièrement déprimant. «Je n'ai jamais vu des êtres aussi détachés de la vie», écrivait encore le médecin. D'après certains témoignages, «ils continuaient à partager la couchette d'un cadavre jusqu'à ce que des matelots ou le capitaine viennent l'enlever avec des gaffes.»

A la fin de l'année, Douglas signalait qu'il avait reçu 8 691 malades, dont 5 424 étaient morts. Indépendamment des émigrants, on comptait encore 44 décès parmi le personnel médical.

Le destin tragique des bateaux d'émigrants aurait pu être évité, ou du moins limité si les différents Passenger Vessel Acts, en vigueur à l'époque, avaient été observés, si les agences n'avaient pas vendu un nombre de places supérieur à celui qu'un bateau pouvait offrir et si les visites médicales au moment de l'embarquement avaient été réellement effectuées. En 1855, une opinion publique inquiète devant les conditions de traversée océanique obligea le Congrès à voter de nouvelles mesures, visant cette fois-ci les capitaines et par là même les armateurs. Les commandants se verraient infliger une amende de cinquante dollars pour tout passager excédentaire et une de dix dollars pour le décès de toute personne de plus de huit ans. Ces lois n'eurent pas plus de succès que les précédentes.

Dans l'indifférence des armateurs, des capitaines, des équipages et des agents de contrôle, l'émigration se poursuivit. Rien ne permettait de douter de l'amélioration de la condition des émigrants dans leur nouvelle patrie. Ils écrivaient des lettres enthousiastes à leurs familles restées au pays: «Nous avons tous du travail, ici», écrivait l'un d'eux. «Vous savez dans quelle situation nous étions quand nous sommes partis. Nous n'avions ni viande, ni argent. Aujourd'hui nous avons tout ce qu'il nous faut.» Un autre ajoutait: «Insistez auprès de mes frères pour qu'ils viennent ici, s'ils tiennent à se libérer de la servitude. Ici, c'est la terre de l'indépendance pour ceux qui veulent travailler.» Un troisième enfin: «En adoptant ce pays comme ma future patrie et celle de ma famille, je suis maintenant un maître, alors que je n'aurai jamais rien pu espérer d'autre qu'être domestique.»

Le départ pour l'Amérique n'équivalait pas toujours à un traumatisme. Sur certains bateaux, les passagers de pont constituaient des

groupes d'entraide qui prenaient soin des malades et se défendaient contre les voleurs. Certains émigrants s'efforçaient également de protéger les femmes seules contre les assiduités de l'équipage ou d'autres voyageurs. Si une passagère n'effectuait pas la traversée en compagnie d'un parent, sa famille s'efforçait de lui trouver un protecteur.

Le chaperonnage n'excluait pas des distractions innocentes. De nombreuses soirées se terminaient aux accents d'une musique. Aux sons des violons, certains dansaient la gigue et le reel. Un passager embarqué à bord du *John Dennison* raconte que le pont arrière devait être dégagé tous les soirs à 18 heures. Le médecin du bord prenait alors son violon. Avec le boulanger jouant le rôle de maître de cérémonie et un gallon de rhum apporté par le steward, « les danses et les divertissements allaient bon train, jusqu'à 10 heures du soir. Près du gallon, bien d'autres bouteilles vides s'alignaient. »

Des passagers de cabine goûtent un moment de détente auprès du cabestan, tandis qu'un petit chien est couché sur un jeu de galets. A partir de 1830, les armateurs prirent l'habitude de prévoir des jeux pour le plaisir et la détente de leurs passagers.

Même réussies, les distractions des passagers de pont n'étaient qu'un pâle reflet de celles accordées à ceux qui pouvaient se permettre de payer dix fois plus pour bénéficier du confort d'une cabine. Parmi ces privilégiés, on notait des hommes d'affaires, des conférenciers et des artistes qui effectuaient de lucratives tournées en Amérique, ainsi que des touristes désireux de connaître New York et qui disposaient des loisirs et de l'argent nécessaires pour satisfaire leur curiosité. Celle-ci jouait d'ailleurs dans les deux sens. De Boston et de New York, une nouvelle génération d'Américains se dirigeait vers l'est pour parcourir l'Europe. Le tourisme intercontinental débutait.

Passagers de pont et passagers de cabine n'étaient séparés que par un étage. Mais les conditions de vie présentaient une grande différence. Les passagers de cabine ne connaissaient que de manière indirecte les conditions qui régnaient à l'intérieur. Il leur était d'ailleurs extrêmement difficile de se livrer à une enquête personnelle. Sur le *Hottinguer*, en 1845, Mrs. Sarah Mytton Maury racontait que le médecin du bord lui avait interdit de descendre dans l'entrepont, « prétendant que c'était non seulement dangereux et malsain, mais qu'il s'agissait d'un spectacle qui n'était pas fait pour une femme nullement préparée à contempler les conditions d'existence lamentables et déprimantes qui régnaient dans ces foyers de misère et de maladie ». Aussi, lorsque les passagers de pont se battaient pour accéder à la cuisine ou se trouvaient ballottés dans des couchettes infestées de vermine, beaucoup de passagers de cabine comme Mrs. Maury demeuraient dans l'ignorance de la lamentable condition de leurs compagnons de voyage. Ils étaient servis par des stewards zélés ou jouaient au palet sur le pont pour se mettre en appétit en attendant un repas pantagruélique.

Deux passagers, dont l'un a bizarrement conservé son costume de soirée, sont couchés dans leur cabine. Un tel confort — couchettes séparées et tapis sur le plancher — apparut dès 1819 mais était réservé aux voyageurs fortunés. Entre la guerre d'Indépendance et 1890, 2 p. cent à peine des émigrants pouvaient s'offrir le luxe d'une traversée en cabine vers les États-Unis.

En première classe, le luxe s'étalait partout. « Le salon réservé aux femmes se distingue par l'extrême élégance de ses aménagements », notait un journaliste qui venait de visiter le paquet *Victoria* en 1843. « Pas un salon ou boudoir de la *terra firma* n'offre un plus bel exemple de décoration et de mobilier. L'appartement est de style Louis XIV ou Louis XV, avec des ors et des blancs infiniment délicats, les sculptures et les lambris sont exécutés à la perfection. »

Onze ans plus tard, un autre journaliste décrivait encore l'élégance de la salle à manger et du salon du *Marco Polo*. « Les lambris sont d'érable et les pilastres garnis de glaces aux encadrements en argent richement décorés. Des pièces de monnaie de différents pays contribuent à l'originalité de la décoration. Les tapisseries sont de velours. »

La table était du même ordre. D'après le témoignage d'un voyageur du paquet *Ontario*, au début des années 1830, un flot incessant de plats semblait sortir des cuisines. « Le petit déjeuner, servi à neuf heures, consistait en thé noir ou vert, café, biscuit, pain, petits pains chauds, poisson, volaille, jambon, mouton froid, œufs », notait William Lyon Mackenzie. Il y avait parfois du chocolat. Le déjeuner comprenait un nombre impressionnant de plats froids. Le dîner, qui commençait à quatre heures de l'après-midi, pouvait se prolonger pendant des heures : « potages, agneau, bœuf, porc, parfois même du veau, des volailles, du bacon, du plum pudding, des confitures et des gâteaux. » Des corbeilles de fruits et de noix figuraient encore au dessert. Quant aux vins : « Il y avait toujours sur la table un excellent madère et du porto, ainsi que du bordeaux. Presque tous les jours, un champagne d'un excellent millésime était servi dès que la table avait été débarrassée. »

D'autres occasions de rafraîchissement intervenaient en dehors des repas. S'il faisait beau, on servait un verre de porto sur le pont, au milieu de la matinée. Sur certains navires, à sept ou huit heures du soir, les stewards apportaient du thé, fort peu différent du déjeuner. Avant de se retirer dans sa cabine pour la nuit, un passager pouvait encore déguster des sardines sur canapé.

Quand ils n'étaient pas à table, et pour tuer le temps, les passagers se livraient à toute une série de distractions. Pendant des heures, certains

tiraient au fusil ou au pistolet des bouteilles accrochées à une vergue. D'autres s'amusaient à attirer les requins qui suivaient le bateau en leur jetant des morceaux de bœuf ou de mouton. En de rares occasions, les voyageurs pouvaient tirer sur des ours perchés sur des icebergs. Parfois, un matelot harponnait un marsouin et des cuisiniers se chargeaient de préparer ce gibier inattendu. La chasse au rat, la plaie de l'entrepont, prenait l'allure d'un simple sport pour les passagers de cabine. Quand la mer était calme, des voyageurs en mal d'aventure plongeaient par-dessus bord et nageaient autour du bateau.

Pour les personnes plus calmes, les navires les plus luxueux disposaient d'orchestres pour les concerts et les bals. Sur chaque bateau, certains passaient des heures à jouer au damier, aux échecs, aux dominos, au trictrac, au whist ou au poker, un jeu d'origine américaine qui devait gagner l'Angleterre grâce aux paquets. Les passagers se livraient également à des paris sur la distance couverte par le navire chaque jour — une tradition qui se maintiendra sur les paquebots —, ainsi que sur la date de l'arrivée.

Sur le *Pacific* en 1832, « une troupe fut fondée pour assurer la détente et la bonne entente parmi les passagers », écrivait l'actrice

Le grand acteur irlandais Tyrone Power (en médaillon) gagna New York en 1833 à bord du paquet Europe. *Pour lui, le bateau s'identifiait à une scène flottante et les passagers à un public admiratif. Il encourageait ses amis à voyager. « Pardonnez à vos ennemis, embrassez votre femme », disait-il, « et avec le cœur pur, muni de 48 chemises bien repassées, tentez l'aventure. »*

Le paquet Washington *de la White Diamond Line transportait en 1847, vers l'Angleterre, l'écrivain américain Ralph Waldo Emerson (en médaillon) qui espérait que le voyage constituerait pour lui « un changement et un réconfort ». « Ce qu'il y a de surprenant est qu'un homme sain de corps et d'esprit puisse être marin », constatait-il.*

Fanny Kemble. Sous la direction d'animateurs élus, on jouait par exemple à « la charade mimée ». Le romancier Charles Dickens, qui effectua en 1842 une traversée à bord du *George Washington*, fut aussi membre d'un club improvisé « auquel le modeste et distingué président lui demanda de ne pas faire davantage allusion ». C'était, devait-il dire, « une institution extrêmement gaie ». Ces clubs prenaient plaisir à singer des débats judiciaires ou à jouer des pièces de théâtre.

La rencontre d'un autre navire constituait une autre source de distraction. Si le bâtiment défilait à contre-bord, les passagers lançaient des messages lestés à destination du pays. Rattraper ou être dépassé par un autre paquet excitait tout le monde. C'est ainsi qu'au cours d'une traversée à bord de l'*United States* en 1834, la réformatrice sociale anglaise Harriet Martineau attira l'attention du commandant sur une autre voile. « Il saisit sa lunette et, en une seconde, il nous électrisa par la vigueur de ses ordres, adressés au timonier et aux autres membres de l'équipage. » Le navire en vue n'était autre qu'un paquet rival, le *Montreal*, qui avait quitté Portsmouth quatre jours plus tôt, raconta Miss Martineau. Le *Montreal* était plus rapide par brise faible, mais l'*United States* avait l'avantage par vent fort. Comme il est de règle sur

Un paquet débarque ses passagers sur les quais de New York. La première jonque chinoise à visiter l'Amérique accoste au même moment. En 1855, un émigrant sur quatre était Irlandais et tourné en ridicule par l'inscription figurant sur la malle : « Pat Murfy for Ameriky ».

l'Atlantique, une forte brise soufflait ce jour-là et l'*United States*, finalement l'emporta sur son adversaire.

D'une manière ou d'une autre, sur la passerelle ou à table, en présidant le dîner, le commandant donnait le ton. Les capitaines se considéraient les égaux des passagers importants. Hôtes habiles, ils devaient flatter la vanité de l'un sans blesser l'amour-propre d'un autre.

Ils étaient parfois récompensés de leurs efforts par des marques de remerciement inattendues. C'est ainsi que le frère de Napoléon, Joseph Bonaparte, qui avait été roi d'Espagne de 1808 à 1813, navigua à trois reprises avec un Américain du Connecticut, Elisha E. Morgan, qui commmandait le *Philadelphia*. Comme témoignage de l'accueil reçu, Joseph remit à Morgan un échiquier qui avait appartenu à Napoléon à Sainte-Hélène et un service à thé et à café avec des couverts de vermeil que l'empereur avait donnés à sa mère.

Sans être aussi spectaculaires, d'autres signes d'estime pouvaient toucher les commandants. Les passagers du *Columbia* de la Black Ball firent ainsi paraître dans les journaux de New York des entrefilets soulignant l'attention constante et le comportement courtois du capitaine William Lee, lors du voyage qu'ils avaient effectué sous son commandement. Mais le remerciement le plus inattendu devait concerner le capitaine David G. Bailey, qui commanda le *Yorkshire* de Liverpool à New York en un temps record de 16 jours en 1846. Parmi ses passagers figuraient les membres d'une troupe de ballet de Vienne. « Ces charmants jeunes gens furent si contents de lui et de son bateau », devait dire le *New York Herald*, « qu'ils dansèrent sur le pont le splendide *Pas de fleurs* quand le bateau pénétra dans le port. »

Tous les passagers de cabine ne manifestaient pas une telle satisfaction. Le philosophe de la Nouvelle-Angleterre Ralph Waldo Emerson se révéla un marin fort peu enthousiaste. « Tous les matins, en me réveillant, je croyais que quelqu'un tapait sur ma couchette », devait-il écrire, au cours d'une traversée en 1847. « Personne n'aime être traité aussi brutalement, renversé, jeté sur les parois de la maison, roulé par terre, suffoqué d'eau sale et d'huile de cuisine nauséabonde. » Pour s'adapter à la vie de marin, « il fallait acquérir un palais nouveau, notamment pour les tomates et les olives ».

Harriet Martineau trouva que l'épreuve d'une tempête était insupportable. « Pendant toute la nuit, les bruits nous auraient empêchés de dormir, même si nous avions pu rester allongés tranquillement. Il y avait le hurlement du vent; les lames martelaient le flanc du navire comme si elles allaient y faire irruption. De l'eau entrait dans la cabine, bien que la claire-voie ait été verrouillée. » Avec ses affaires trempées et en désordre, Miss Martineau se mit à explorer sa cabine à la recherche d'un endroit sec. Elle ne trouva qu'un seul emplacement, sous la table. « Aussi, j'apportai une couverture et un oreiller, m'y allongeai en me tenant solidement à un pied. Je réussis à prendre une heure de sommeil, au cours de laquelle la tempête aurait pu réveiller un mort. »

Cette même Miss Martineau, que quelqu'un qualifia de « hache d'armes radicale dyspepsique », en raison de ses campagnes violentes pour faire voter des lois de protection des pauvres, dissimulait mal sa désapprobation devant le luxe des cabines. « Certains d'entre nous éprouvent de l'ennui à rester aussi longtemps à table », ajoutait-elle, « mais c'est une coutume bien établie à bord de ces bateaux, dans l'intérêt probablement de ceux qui risquent de trouver le temps trop long. »

L'accueil des émigrants

Dans la rotonde de Castle Garden, des émigrants se reposent, se renseignent, achètent des billets ou retrouvent des amis.

Au moment où l'émigration battait son plein aux États-Unis, au milieu du XIXe siècle, les hommes et les femmes qui débarquaient sur les quais de Manhattan éprouvaient une impression désastreuse. S'ils n'étaient pas accueillis par des parents ou des amis, des racoleurs leur vendaient de faux billets de chemin de fer et se proposaient de porter leurs bagages pour dix dollars, avant de disparaître.

En 1855, la municipalité de New York décida de mettre fin à ces pratiques et ouvrit un centre d'accueil pour émigrants à Castle Garden, dans le quartier de la Batterie à Manhattan. Construit en 1807 comme un fort, transformé en salle de concert, Castle Garden fut bientôt connu sous le nom de « Porte de la nation ». En quarante ans, 7 690 606 étrangers y transiteront.

Le centre offrait de nombreux services. Des agents de voyage distribuaient des cartes et aidaient les nouveaux arrivants à organiser leur trajet jusqu'à l'endroit où ils comptaient se fixer. Des billets de chemin de fer étaient vendus par des agents agréés. On pouvait y acheter de la nourriture au prix de gros et la préparer dans les cuisines du centre. Un bureau de placement appelé « Labor Exchange » aidait les émigrants à trouver du travail. Et, exceptionnellement, Castle Garden accordait un abri aux voyageurs. Près de 3 000 personnes y passaient parfois la nuit, couchées à même le sol, les services d'immigration refusant de fournir des lits.

Malgré ses bonnes intentions initiales, le centre ne tarda pas à se dégrader. Incapables de résister à l'envie de gagner facilement de l'argent, les agents de chemin de fer commencèrent à surmarquer les billets et à empocher la différence. Les changeurs, exploitant l'ignorance des étrangers en matière d'argent américain, se contentaient de donner une poignée de menue monnaie, en échange de devises beaucoup plus élevées. En 1890, le problème était devenu si sérieux que Castle Garden fut remplacé par une « Porte de la nation » plus sévèrement contrôlée à Ellis Island, dans la baie de New York. Le vieux dépôt fut à nouveau transformé en un aquarium ouvert au public.

Un phénomène contribuait à faire paraître les heures interminables, le calme plat. Il portait sur les nerfs. « Si une faiblesse de caractère existe, on peut être sûr que c'est à ce moment-là qu'elle se manifeste », constata Miss Martineau. « Beaucoup de gens jouent alors au palet sur le pont et les parties ne brillent pas toujours par l'harmonie. » Même une partie d'échecs ou de cartes pouvait dégénérer. « On pouvait entendre une dispute s'élever en plein milieu du whist à l'autre bout de la table ou un juron retentissant lancé par un joueur d'échecs. » Enfin, ajoutait-elle, « les femmes qui se coiffaient dans leur salon ne résistaient pas au plaisir de se lancer des piques. »

Il y avait un passager dont l'amour pour la dive bouteille ne faiblit jamais, l'acteur Tyrone Power. Plusieurs traversées en avaient fait une figure populaire des deux côtés de l'Atlantique. Il n'avait rien du philosophe, mais tout d'un joyeux vivant qui aimait les bons repas, l'alcool et le côté agréable de l'existence. Power adorait la vie d'un paquet. Il jaillissait de sa cabine de luxe à six heures du matin et se précipitait sur le pont, quel que fût le temps, « ensoleillé ou brumeux, que la mer fût calme ou agitée ». Il se heurtait alors à « un matelot à la mine patibulaire de deux mètres de haut », qui attendait avec deux seaux d'eau de mer. « Avec un demi-sourire », ce géant inquiétant à la face tannée donnait sa bénédiction à « la simplicité du terrien » qui revenait tous les matins « se faire asperger comme la tortue du capitaine ».

L'entrée en scène du vapeur

Quelques années après l'entrée en service des paquets entre New York et Liverpool, des armateurs entreprenants commencèrent à songer aux vapeurs pour la régularité des relations océaniques. Ne se jouaient-ils pas des caprices du vent et n'avaient-ils pas prouvé leur efficacité sur les rivières et dans le cabotage? Mais résisteraient-ils à des traversées aussi longues? Un sceptique n'hésitait pas à dire : « Autant envisager un voyage dans la lune ! »

Junius Smith, un négociant originaire du Connecticut qui opérait à partir de Londres, ignorant les détracteurs, s'embarqua en 1832 pour New York à bord d'un paquet, pour une traversée épuisante de 54 jours, dans l'espoir de réunir, pour la création d'une ligne à vapeur, des commanditaires qu'il ne trouva pas. Il retourna à Londres et intéressa enfin des bailleurs de fonds. En 1835, il créait la British and American Steam Navigation Company. Début 1838, son premier navire, le *British Queen* de 1 850 tonnes était presque terminé. La rivalité entre la voile et la vapeur allait commencer.

Mais Smith se heurtait à de rudes concurrents. La Great Western Steamship Company, créée à Bristol un an après la sienne, se préparait à mettre en service sur l'Atlantique son vapeur, le *Great Western*. La construction du *British Queen* s'éternisant, Smith loua un vapeur moins important, le *Sirius* et tenta l'expérience. Le 23 avril 1838, le *Sirius* entrait dans le port de New York; c'était le premier navire à avoir traversé l'Atlantique uniquement à la vapeur. Huit jours plus tard, le *Great Western* mouillait à son tour à New York.

Au bout de quelques mois, le *British Queen* de Smith entrait en service sur la ligne Londres-New York. Le bâtiment mettait en moyenne 16 jours dans le sens Europe-Amérique et 14 jours dans l'autre, moitié moins que la plupart des paquets. En 1840, Smith lança le *President* de 2 866 tonnes, le plus grand et le plus élégant des navires jamais lancés. L'enthousiasme fut débordant.

C'est alors que survint le drame. En 1841, le *President* sombra, avec les 136 personnes qui se trouvaient à bord, y compris l'acteur Tyrone Power. La réputation de la compagnie fut ruinée. Smith vendit le *British Queen* et se retira sur une plantation de thé dans le sud de la Caroline, où il mourut en 1853.

Au moment de sa disparition, les paquets régnaient toujours sur l'Atlantique. Mais les spécialistes de la vapeur comme Samuel Cunard réaliseraient la vision prophétique de Smith. Smith avait l'habitude de dire : « Se dépêcher est la vie, attendre est la mort », une devise dont l'évidence assurerait la victoire de la vapeur.

Mais, pour Power, le plaisir d'un bain stimulant n'était que « peu de chose par rapport à ce qui allait suivre ». Quand la cloche du steward annonçait le petit déjeuner, Power était prêt.

Après avoir passé la journée à faire honneur aux repas et s'être livré à des distractions, telle une partie de whist avec les dames dans leur salon, « un charmant petit appartement, garni de divans, de miroirs et d'autres agréments », Power se retrouvait sur le pont en manteau. « Donnez ce qui reste de votre grog au type de la barre », proposait-il. « Après avoir jeté un coup d'œil au compas, constaté que le bateau marchait ouest-nord-ouest, il descendait à l'intérieur, profondément satisfait. » Dans sa cabine, le rideau allait descendre sur une journée bien remplie. « Le steward allumait alors une bougie qu'il fixait sur le bougeoir du miroir. Après avoir accompli quelques ultimes petites opérations, il s'endormait grâce à Dieu. »

Mais l'excitation provoquée par la vue de la terre dépassait tout, et Power était prêt à y sacrifier son sommeil. En route vers l'Amérique à bord de l'*Europe* en 1833, il alla se coucher avant que le navire n'atteigne le port. Mais il laissa un message au commandant, lui demandant de le réveiller dès qu'on apercevrait la terre. A 3 heures du matin, il grimpa sur le pont pour observer les lumières de Sandy Hook, qui indiquaient les abords du port de New York. Le bateau lança des fusées, demandant un pilote. Celui-ci gagna le cœur des passagers de

Cette lithographie commémorant le premier voyage du President montre le boudoir des dames, la salle à manger et une coursive.

cabine, en leur faisant cadeau d'un panier de poisson frais, qui arrivait à point nommé pour un ultime petit déjeuner pantagruélique.

Sur cette photographie prise en 1907 par le photographe Alfred Stieglitz, des émigrants se rassemblent sur le pont d'un paquebot, tandis que d'autres réunissent leurs affaires en arrivant à New York. Au début du XXe *siècle, les vapeurs avaient remplacé les voiliers, et les Européens continuaient à franchir l'océan Atlantique au rythme d'un million par an.*

Les passagers du genre de Power pouvaient goûter des plaisirs qui soulignaient les changements qui s'étaient opérés sur l'Atlantique depuis que le frêle *Mayflower* avait ouvert la route deux cents ans plus tôt. Cent personnes à peine avaient affronté cette première traversée. Au milieu du XIXe siècle, plus de 250 000 passagers effectuaient ce voyage tous les ans, et parfois on frôlait le demi-million. Le *Mayflower* atteignait à peine 180 tonnes. Le tonnage général des paquets dépassait les 975 000 en 1860. A l'époque du *Mayflower,* le chargement se composait de chaudrons, de fusils et de haches, objets indispensables à la vie dans un pays encore sauvage. En plein XIXe siècle, les paquets transportaient des chargements infiniments variés, depuis les produits métallurgiques anglais jusqu'aux vins de France.

Une ombre commençait cependant à peser sur l'avenir de ces bateaux. Les premières lignes de bateaux à vapeur avaient fait leur apparition sur l'Atlantique en 1838. Vers 1850, alors que les émigrants quittaient Liverpool à bord de voiliers et en nombre de plus en plus important, les vapeurs anglais et américains se chargeaient du transport des journaux, du courrier et du fret coûteux. Bientôt, un nombre croissant de passagers épris de confort se rallièrent à la vapeur. Dickens et P.T. Barnum firent partie de tous ceux qui voyagèrent à bord d'un paquet sur la route rapide à destination de l'Europe. En revanche, ils effectuèrent le voyage de retour vers l'Amérique, sur un vapeur de la Cunard Line. Ces bateaux offraient une vitesse supérieure, sur un itinéraire où dominaient les vents d'ouest.

Au départ, les vapeurs laissèrent le trafic des émigrants aux « canards sauvages ». Mais cette situation se modifia brutalement quand le vapeur *City of Glasgow* effectua en 1850 un beau bénéfice en transportant 400 passagers de pont. En 1863, 45 p. cent des émigrants anglais à destination du Nouveau Monde utilisaient le vapeur; trois ans plus tard, la proportion atteignait 81 p. cent.

Grâce à des produits lourds, comme les céréales ou le charbon, les paquets résistèrent. La plupart de leurs lignes fonctionnaient au lendemain de la guerre de Sécession. Mais, sur les cinq plus importantes, trois, la Red Star, la Blue Swallowtail et la Dramatic Lines, allaient fermer avant 1878, l'année du soixantième anniversaire de la Black Ball Line: cette compagnie, qui avait inauguré le trafic, conservait un service complet de six bateaux depuis Liverpool. Mais dès la fin de l'été, elle dut s'incliner à son tour.

La Red Swallowtail Line fut la dernière ligne de paquets à cesser son activité. Au cours de l'été 1880, elle maintint des liaisons régulières. Mais, en septembre, le *Sir Robert Peel* fut vendu et partit pour Trieste pour une nouvelle existence de cargo. Puis en novembre, ce fut le tour du *Liverpool* qui, après une carrière unique de 37 ans sur l'Atlantique, prit la direction de Bordeaux.

Un par un, comme les meubles d'une famille ruinée, les paquets furent vendus. Le dernier à effectuer la traversée de l'Atlantique arriva à New York, depuis Londres, le 18 mai 1881. C'était un bateau de 1 396 tonnes, construit en solide chêne blanc à Thomaston, dans le Maine, dix-huit ans plus tôt. On ignore la nature de sa cargaison, mais on ne peut oublier son nom. Il s'appelait le *Nec plus ultra.*

Bibliographie

Abbot, Edith, *Immigration: Select Documents and Case Records*. University of Chicago Press, 1924.

Albion, Robert G.:
« Planning the Black Ball. » *The Log of Mystic Seaport*, printemps 1980.
The Rise of New York Port. Charles Scribner's Sons, 1939.
Square-Riggers on Schedule. Archon Books, 1965.

Allan, Herbert S., *John Hancock: Patriot in Purple*. Beechhurst Press, 1953.

Allen, Edward L., *Pilot Lore from Steam to Sail*. United New York and New Jersey Sandy Hook Pilot's Benevolent Association, 1922.

Allen, Gardner W., *A Naval History of the American Revolution*, Vol. 1, 2. Russell & Russell, 1962.

Allen, George F., *Francis' Metallic Life-Boat Company*. William C. Bryant, 1852.

American and Commercial Daily Advertiser. Baltimore: 1er juin 1822.

Ames, Azel, *The Mayflower and Her Log*. Riverside Press, 1901.

Arber, Edward et A.G. Bradley, éd., *Travels and Works of Captain John Smith*, 2 vol. Édimbourg: John Grant, 1910.

Asbury, Herbert, *Ye Olde Fire Laddies*. Alfred A. Knopf, 1930.

Baker, William A., *Colonial Vessels: Some Seventeenth-Century Sailings Craft*. Barre Publishing, 1962.

Barbour, Philip L., *The Three Worlds of Captain John Smith*. Riverside Press, 1964.

Bartlett, Robert Merrill, *The Pilgrim Way*. Pilgrim Press, 1971.

Baxter, W.T., *The House of Hancock*, *Harvard University Press, 1945*.

Bennett, Robert F., *The Lifesaving Service at Sandy Hook Station 1854-1915*. U.S. Coast Guard Historical Monograph Program, 1976.

Bining, Arthur C. et Thomas C. Cochran, *The Rise of American Economic Life*. 4e éd. Charles Scribner's Sons, 1964.

Bonfanti, Leo, *The Witchcraft Hysteria of 1692*, Vol. 1, 2. Pride Publications, 1971.

Bradford, William, *Of Plymouth Plantation 1620-1647*, édité par Samuel Eliot Morison. Alfred A. Knopf, 1979.

Briggs, Rose T., *Plymouth Rock: History and Significance*. Nimrod Press, 1968.

Brinnin, John Malcolm, *The Sway of the Grand Saloon: A Social History of the North Atlantic*. Delacorte Press, 1971.

Brooks, Jerome E., *The Mighty Leaf: Tobacco through the Centuries*. Little, Brown, 1952.

Bunker, John G., *Harbor and Haven, an Illustrated History of the Port of New York*. Windsor Publications, 1979.

The Burning of the Ship Ocean Monarch, with a Full Account of Frederick Jerome. G.E. et C.W. Kenworthy, 1849.

Butler, William Allen, *Memorial of Charles Marshall*. D. Appleton, 1867.

Caffrey, Kate, *The Mayflower*. Stein and Day, 1974.

Campbell, John F., *History and Bibliography of the New American Practical Navigator and the American Coast Pilot*. Peabody Museum de Salem, 1964.

Capron, Walter C., *The U.S. Coast Guard*. Franklin Watts, 1965.

Chandler, Charles Lyon, Marion V. Brewington et Edgar P. Richardson, *Philadelphia, Port of History*. Museum of the city of New York.

Chapelle, Howard I., *The Search of Speed under Sail*. Bonanza Books, 1967.

The City of New York. Museum of the City of New York, 1978.

Coleman, Terry:
Going to American. Doubleday, 1973.
Passage to America. Londres: Hutchinson, 1972.

Compston, H.F.B., *Thomas Coram: Churchman, Empire Builder, Philantropist*. Society for Promoting Christian Knowledge, 1918.

Cope, Thomas P., *Philadelphia Merchant: The Diary of Thomas P. Cope, 1800-1851*. Gateway Editions, 1978.

Costello, Augustine E., *Our Firemen: A History of the New York Fire Departments*. Costello, 1887.

Cowan, Helen L., *British Emigration to British North America: The First Hundred Years*. University of Toronto Press, 1961.

Cutler, Carl C., *Queens of the Western Ocean*. United States Naval Institute, 1961.

Dickens, Charles, *American Notes*. Peter Smith, 1968.

Dictionary of American Biography. Revu par Allen Johnson et Dumas Malone. Scribner's Sons.

Durant, John et Alice, *Pictorial History of American Ships on the High Seas and Inland Waters*. A.S. Barnes, 1953.

Histoire des États-Unis. 3 vol. Éditions Rencontre, Lausanne, 1978.

Ehrhardt, John B., *Joseph Francis — 1801-1893 — Shipbuilder; Father of the U.S. Life-Saving Service*. The Newcomen Society in North America, 1950.

Emerson, Ralp Waldo, *English Traits*. Houghton Mifflin, 1885.

« Emigrants at Constitution Wharf, Boston. » *Ballou's Pictorial*, 31 octobre 1857.

The Encyclopedia of Discovery and Exploration: The Conquest of North America. Doubleday, 1971.

Engle, Eloise et Arnold S. Lott, *America's Maritime Heritage*. Naval Institute Press, 1975.

Fairburn, William Armstrong, *Merchant Sail*, 6 vol. Fairburn Marine Educational Foundation, 1945-1955.

Faulkner, H.V., *Histoire économique des États-Unis d'Amérique*. Adaptation française O. Merlot-Guitard, P.U.F., Paris, 1958.

Forbes, R.B., *Notes on Some Few of the Wrecks and Rescues during the Present Century*. Little, 1889.

Francis' Metallic Life-Boat Company. William C. Bryant, 1852.

Gibbs, C.R. Vernon, *Passenger Liners of the Western Ocean*. Londres: Staples Press, 1957.

Goldenberg, Joseph A., *Shipbuilding in Colonial America*. University Press of Virginia for the Mariners Museum, 1976.

Greenhill, Basil, *The Great Migration: Crossing the Atlantic under Sail*. Londres: Her Majesty's Stationery Office, 1968.

Greenhill, Basil, et Ann Giffard, *Travelling by Sea in the Nineteenth Century*. Hastings House, 1974.

Griffith, Lucille, *Alabama, Documentary History to 1900*. University of Alabama Press, 1972.

Guillet, Edwin, *The Great Migration: The Atlantic Crossing by Sailing-Ship since 1770*. University of Toronto Press, 1963.

Hall, Michael G., *Edward Randolph and the American Colonies*. W.W. Norton, 1960.

Hansen, Marcus Lee, *The Atlantic Migration, 1607-1860*. Harper & Brothers, 1961.

Hawke, David, *The Colonial Experience*. Bobbs-Merrill, 1966.

Heimann, Robert K., *Tobacco and Americans*. McGraw-Hill, 1960.

Henderson, Welles J., et Leonard A. Swann Jr., *The Greater Port of Philadelphia Past, Present and Future*. Museum of the City of New York.

Herndon, G. Melvin, *WilliamTatham and the Culture of Tobacco.* University of Miami Press, 1969.
Hone, Philip, *The Diary of Philip Hone, 1822-1851.* Vol. 1. Revu par Bayard Tuckerman. Dodd, Mead, 1889.
Hugill, Stan, *Sailortown* E.P. Dutton, 1967.
Hulton, Paul, et David Beers Quinn, *The American Drawings of John White.* 2 vol. London and Chapel Hill: The Trustees of the British Museum and University of North Carolina Press, 1964.
Jones, Charles C., Jr., *The Dead Towns of Georgia.* Morning News Steam Printing House, 1878.
Jones, Maldwyn Allen, *American Immigration.* University of Chicago Press, 1960.
Kenworthy, G.E. et C.W., *The Burning of the Ship Ocean Monarch.* Kenworthy, 1849.
Laing, Alexander:
American Sail. E.P. Dutton, 1961.
Seafaring America. American Heritage Publishing, 1974.
Lever, Darcy, *The Young Sea Officer's Sheet Anchor.* E. & G.W. Blunt, 1843.
Lounsbury, Ralph G., *The British Fishery at Newfoundland 1634-1763.* Archon Books, 1969.
Lubbock, Basil, *The Western Ocean Packets.* Glasgow: Brown, Son & Ferguson, 1971.
Lyon, Jane D., *Clipper Ships and Captains.* American Heritage Publishing, 1962.
MacDonagh, Oliver, *A Pattern of Government Growth 1800-60.* Londres: MacGibbon & Kee, 1961.
McKay, Richard C., *South Street: A Maritime History of New York.* Haskeel House Publishers, 1971.
Maclay, Edgar S., *A History of the American Privateers.* Books for Libraries Press, 1970.
Maritime History of New York. Haskell House Publishers, 1973.
Martineau, Harriet, *Retrospect of Western Travel,* vol. 1. Haskell House Publishers, 1969.
Melville, H., *Redburn ou sa première croisière.* Traduit par A. Guerne. Gallimard, Paris, 1976.
Middleton, Arthur Pierce, *Tobacco Coast: A Maritime History of Chesapeake Bay in the Colonial Era.* The Mariners Museum, 1953.
Moore, Francis, *A Voyage to Georgia Begun in the Year 1735.* Londres, 1744.
Morison, Samuel Eliot:
The Maritime History of Massachusetts. Riverside Press, 1961.
The Oxford History of the American People. Oxford University Press, 1965.
Morris, Ira K., *Morris's Memorial History of Staten Island.* Morris, 1900.
Morris, James M., *Our Maritime Heritage.* University Press of America, 1979.
Morris, John V., *Fires and Firefighters.* Bramhall House, 1955.
Morrison, John H., *History of New York Shipyards.* Kennikat Press, 1909.
Mossiker, Frances, *Pocahontas: The Life and the Legend.* Alfred A. Knopf, 1976.
Muir, Ramsay, *The History of Liverpool.* University Press of Liverpool, 1907.
Paine, Ralph D., *The Ships and Sailors of Old Salem.»* Charles E. Lauriat, 1924.
Pomfret, John E., Floyd M. Shumway, *Founding the American Colonies 1583-1660.* Harper & Row, 1970.
Pond. E. LeRoy, *Junius Smith: Pioneer Promoter of Transatlantic Steam Navigation.* The Marine Historical Association, 1941.
Pond, James L., éd., *History of Life-Saving Appliances and Military and Naval Constructions.* E.D. Slater, 1885.
Potter, George, *To the Golden Door, the Story of the Irish in Ireland and America.* Little, Brown.
Power, Tyrone, *Impressions of America during the Years 1833, 1834, and 1835,* vol. 1. Benjamin Blom, 1971.
Quinn, David Beers, ed., *The Roanoke Voyages, 1584-1590.* 2 vol. Londres: The Hakluyt Society, 1955.
Rattray, Jeannette Edwards, *Perils of the Port of New York.* Dodd, Mead, 1973.
Reese, Trevor Richard, *Colonial Georgia.* University of Georgia Press, 1963.
Ritchie-Noakes, Nancy, *Jesse Hartley.* Liverpool: Merseyside County Museums, 1980.
Ross, Margorie Drake, *The Book of Boston.* Hasting House Publishers, 1964.
Rouse, Parke Jr.:
Planters and Pioneers: Life in Colonial Virginia. Hastings House Publishers, 1968.
Virginia: The English Heritage in America. Hastings House, 1966.
Russel, Charles Edward, *From Sandy Hook to 62°.* Century, 1929.
Samuels, Samuel, *From the Forecastle to the Cabin.* Harper & Brothers, 1887.
Schlesinger, Arthur M., *The Colonial Merchants and the American Revolution.* Frederick Ungar, 1957.
Shaw, Ronald E., *Erie Water West: A History of the Erie Canal, 1792-1854.* University of Kentucky Press, 1966.
Sheldon, George W.:
«The Old Packet and Clipper Service.» *Harper's Magazine,* janvier 1884.
The Story of the Volunteer Fire Department of the City of New York, Harper & Brothers, 1882.
Shepherd, Barnett, *Sailor's Snug Harbor 1801-1976.* Publishing Center for Cultural Resources, 1979.
Sinclair, Harold, *The Port of New Orleans.* Doubleday, Doran, 1942.
Smith, Abbot Emerson, *Colonists in Bondage: White Servitude and Convict Labor in America, 1607-1776.* W.W. Norton, 1947.
Smith, Henry Justin, *The Master of the Mayflower.* Willett, Clark, 1936.
Smith, John, *New England Trials.* Revu par Edward Arber. Londres: King's College, 1884.
Some Merchants and Sea Captains of Old Boston. State Street Trust Company, 1918.
Spears, John R., *Captain Nathaniel Brown Palmer, an Old-Time Sailor of the Sea.* Macmillan, 1922.
Staff, Frank, *The Transtalantic Mail.* Allard Coles, 1956.
Stammers, Michael, *The Passage Makers.* Brighton: Teredo Books, 1978.
Taylor, Philip, *The Distant Magnet: European Emigration to the U.S.A.* Londres: Eyre & Spottiswoode, 1971.
Thomas, R., *Interesting and Authentic Narratives of the Most Remarkable Shipwrecks.* Books for Libraries Press, 1970.
The Times. Londres: 10 janvier 1839; 14 janvier 1839.
Timpus, Lowell M., *History of the New York Fire Department.* E.P. Dutton, 1940.
Umbreit, Kenneth, *Founding Fathers.* Kennikat Press, 1969.
Von Reck, Philip Georg Friedrich, *Von Reck's Voyages.* Revu par Kristian Hvidt. The Beehive Press, 1980.
Wallace, Paul A.W., *Pennsylvania, Seed of a Nation.* Harper and Row, 1962.
Whyte, Robert, *The Ocean Plague: Or a Voyage to Quebec in an Irish Emigrant Vessel.* Coolidge and Wiley, 1848.
Willison, George F., *Saints and Strangers.* Time reading Program Special Edition, Time Inc., 1964.
Wright, Louis B., *The Atlantic Frontier.* Cornell University Press, 1964.
Writers Program of New York, *A Maritime History of New York.* Haskell House Publishers, 1973.
Young, Harold E., *By Gone Liverpool.* Henry Young and Sons, 1953.

Sources des illustrations

Les sources des illustrations de cet ouvrage sont séparées de gauche à droite par des points-virgules, et de haut en bas par des tirets.

Couverture: collection de l'Ulster Museum, Belfast. Pages de garde: dessin de Peter McGinn.
Pages 6, 7: George F. Mobley, avec l'autorisation de l'U.S. Capitol Historical Society. 9: Library of Congress. 10: avec l'autorisation du Mariners Museum. Newport News, Virginie. 12-15: département des livres rares, The New York Public Library, Astor, Lenox and Tilden Foundations. 16, 17: toile de Leslie Wilcox, photographiée par Mark Sexton, avec l'autorisation du Pilgrim Hall, Plymouth, Massachusetts. 21: Pilgrim Society, Plymouth, Massachusetts. 22: Culver Pictures. 25: Peabody Museum de Salem. 27: John Carter Brown Library, Brown University. 29: National Portrait Gallery, Smithsonian Institution. 31: Virginia State Library, Richmond. 32-37: avec l'autorisation de l'administration du British Museum, Londres. 38, 39: Maryland Historical Society. 40: Cooper-Bridgeman Library, avec l'autorisation de la Fondation pour enfants Thomas Coram, Londres. 42: avec l'autorisation du conseil de la Société d'Histoire naturelle et d'Archéologie du Dorset County Museum, Dorchester, Angleterre. 44: avec l'autorisation de l'Essex Institute, Salem, Massachusetts. 46: Library of Congress. 47: avec l'autorisation des Wellcome Trustees, Londres — Library of Congress. 48: Library of Congress. 49: dessin de John Batchelor. 50, 51: avec l'autorisation de W.D. et H.O. Wills, Bristol, Angleterre. 52-55: Det Kongelige Bibliotek, Ms Ny Kgl Saml 565, Nummer 4. Tegninger og Samlinger til en Beskrivelse over de Salzburgske Emigranters Etablissement Ebenezer i Georgia, Copenhague. 56: I.N. Phelps Stokes collection, département d'Art, estampes et photographies, The New York Public Library, Astor, Lenox and Tilden Foundations. 57: avec l'autorisation du Mariners Museum, Newport News, Virginie. 58: avec l'autorisation de l'Harvard University Portrait Collection, don de John Hancock. 59: Museum of Fine Arts, Boston. 60: Library of Congress. 62: The Rhode Island Historical Society. 63: avec l'autorisation de la Boston Public Library, Cabinet des estampes. 66, 67: Henry Beville, avec l'autorisation du Mariners Museum, Newport News, Virginie. 68-75: I.N. Phelps Stokes Collection, collection de gravures, The New York Public Library, Astor, Lenox and Tilden Foundations. 76, 77: Paulus Leeser, avec l'autorisation d'une collection privée. 78, 79: Library of Congress. 80, 81: peinture de John Stobart, photographe, avec l'autorisation des Kennedy Galleries. 83: avec l'autorisation de la Société historique de New York. 84, 85: The Metropolitan Museum of Art, Bequest of Edward W.C. Arnold, 1954. The Edward W.C. Arnold Collection of New York Prints, Maps and Pictures. 86: Al Freni, avec l'autorisation de J. Welles Henderson Collection, Philadelphia Maritime Museum. 87: Mark Sexton, avec l'autorisation de la Bostonian Society. 89: peinture de John Stobart, avec l'autorisation des Kennedy Galleries. 91: Library of Congress. 94: Henry Groskinsky, avec l'autorisation du Philadelphia Maritime Museum. 95: Henry Groskinsky, avec l'autorisation du Philadelphia Maritime Museum, sauf au centre, Al Freni, avec l'autorisation du Philadelphia Maritime Museum. 97: frontispice, gravure sur cuivre de James Narine and Co. tirée de *Copy of the Last Will and Testament of Robert Richard Randall*, Butler Library, Columbia University Libraries, avec l'autorisation de Barnett Shepard. 98, 99: INA Corporation Museum. 100, 101: Peabody Museum de Salem. 102: Library of Congress. 104: Bettmann Archive. 106, 107: Derek Bayes, avec l'autorisation de Mersey Docks and Harbour Company, Liverpool; Derek Bayes, avec l'autorisation du National Maritime Museum, Londres. 108, 109: Derek Bayes, avec l'autorisation des Liverpool City Libraries. 110: Derek Bayes, avec l'autorisation des Liverpool City Libraries — Derek Bayes, avec l'autorisation des Mersey Docks and Harbour Company, Liverpool. 111: Derek Bayes, avec l'autorisation des Mersey Docks and Harbour Company, Liverpool. 112, 113: Hirschl and Adler Galleries. 115: Peabody Museum de Salem. 116: Library of Congress. 119: avec l'autorisation de la Société historique de New York. 121-123: dessins de John Batchelor. 124: Al Freni, avec l'autorisation de l'INA Corporation Museum. 125: Smithsonian Institution, Photo No. 80-1594. 126-128: Peabody Museum de Salem. 130-134: Library of Congress. 136-141: dessins de Richard Schlecht. 142-144: Library of Congress. 145: Merseyside County Museum, Liverpool. 147, 149: Library of Congress. 150: Chicago Historical Society. 152: Colonial Office Papers, c.o. 384/92, Public Record Office, Londres. 153: Culver Pictures. 155-157: Library of Congress. 158, 159: Al Freni, avec l'autorisation de J. Welles Henderson Collection. 160: encadré, avec l'autorisation du British Museum, Londres, Peabody Museum de Salem. 162, 163: Museum of the City of New York. 165: Library of Congress. 167: avec l'autorisation du Mariners Museum, Newport News, Virginie. 169: The Metropolitan Museum of Art, The Alfred Stieglitz Collection, 1933.

Remerciements

L'index de cet ouvrage a été préparé par Gale Linck Partoyan. Les rédacteurs tiennent à remercier John Batchelor, peintre, et Cedric Ridgely-Nevitt, conseiller *(pages 121-123)*; Peter McGinn, peintre *(Cartes des pages de garde)*; Richard Schlecht, peintre, et William Avery Baker, conseiller *(pages 136-141)*.

Les rédacteurs remercient également: au Canada: Wolfville, Nouvelle-Ecosse — C.P. Wright. Au Danemark: Copenhague — professeur Sven Gissel, Manuscript Department, Det Kongelige Bibliotek; Kristian Hvidt, bibliothécaire en chef du Parlement. En France: Paris — Marcel Redouté, conservateur, Marjolaine Mathikine, directeur des Études historiques, Jacques Chantriot, Catherine Touny, Musée de la Marine; Chantal Chobeau, Musée S.N.E.I.T.A.; Blérancourt — Martine Diot, Musée National de la Coopération Franco-Américaine; Le Havre — Franck Duboc, Gaston Legoix, Musée des Beaux-Arts André Malraux; Geneviève Testanière, Conservateur en chef, Musées du Havre. En Allemagne: Hambourg — Dr. Jürgen Meyer, Altonaer Museum; Rolf Finck, Hapag-Lloyd. Au Japon: Tokyo — Tsukasa Itoh, Fujita Kogyo et Mrs. Fusae Tajima. En Grande-Bretagne: Londres — R. Williams, Departement of Prints and Drawings, The British Museum; Stephen Riley, Ships Department, Barbara Tomlinson, Picture Department, National Maritime Museum; Bertram Newbury, The Parker Gallery; Bristol — Hubert Rudman, archiviste, W.D. and H.O. Wills; Cornwall — Oliver Price, conservateur honoraire, Falmouth Museum; Liverpool — Denise Roberts, Janet Smith, Liverpool City Libraries; R.R. Harvey, Senior Estate Assistant, Mersey Docks and Harbour Company. A Belfast, Irlande du Nord — Eileen Black, Ulster Museum.

Les rédacteurs remercient aussi: aux États-Unis: Washington, D.C. — Kermit Roosevelt Jr., Kermit Roosevelt and Associates, Inc.: Jerry Kearns, Sam Daniel, Mary Ison, Anette Melville, département des gravures et de photographies, Tom DeClaire, Gary Fitzpatrick, bibliothécaires, Geography and Map Division, Library of Congress; John Stobart, Maritime Heritage Prints; Robert Mawson, National Trust for Historic Preservation; James Knowles, Museum Specialist, Division of Transportation, National Museum of American History, Monroe H. Fabian, conservateur adjoint des peintures et des sculptures, National Portrait Gallery, Smithsonian Institution; Florence C. Miller, administrateur adjoint. U.S. Capitol Historical Society; Annandale, Virginie — Caroline Sigrist; Baltimore, Maryland — Charles Hughes; Erik Kvalsvik, Paula Velthuys, The Maryland Historical Society;

Bath, Maine — Nathan Lipfert, conservateur, The Maine Maritime Museum; Boston — Mary Shannon, Boston Arts Commission; Stephen Nonack, bibliothécaire, The Boston Athenneum; R. Eugene Zepp, Print Department, Boston Public Library; Thomas Parker, directeur, Mary Leen, bibliothécaire, The Bostonian Society; John Cushing, bibliothécaire, Miss Collins, bibliothécaire, Russell Urquhart, Library, The Massachusetts Historical Society; Alex Chandler, Museum of Transportation; David Dearborn, conservateur, New England Historic Genealogical Society; Professor W.M. Fowler, History Department, Northeastern University; William Osgood, Brenda Jackson, State Street Bank and Trust Company; Robert C. Vose, The Vose Gallery; Carbondale, Illinois — Professeur Donald Adams, Department of Economics, Southern Illinois University; Charleston, Caroline du Sud — Capitaine Robert Bennett, Commanding Officer, Marine Safety Office, U.S. Coast Guard; Chicago, Illinois — Trudy Hansen, conservateur adjoint, Graphics Collection, Chicago Historical Society; Crofton, Maryland — Glen Berger; East Boston, Massachusetts — Ciro Giordano, East Boston Community Development Corporation; East Hampton, New York — Dorothy T. King, bibliothécaire en chef, The Long Island Collection, East Hampton Free Library; Lincoln, Massachusetts — Francis H. Gleason; Mobile, Alabama — David Toenes, Mobile Chamber of Commerce; Mystic, Connecticut — Richard C. Malley, archiviste adjoint, Mystic Seaport Museum; New Bedford, Massachusetts — Paul Cyr. bibliothécaire, Genealogical Room, New Bedford Free Library; Elton Hall, New Bedford Whaling Museum; New London, Connecticut — Paul Johnson, bibliothécaire, United States Coast Guard Academy Library; New York, New York — Mrs. M.P. Naud, Hirschl and Adler Galleries; Barbara Shikler, bibliothécaire, New York Historical Society; Gretchen Wessels; Newport News, Virginie — Larry D. Gilmore, conservateur adjoint, Paul Hensley, archiviste, John O. Sands, directeur adjoint des Collections, Lois Oglesby, conservateur adjoint, The Mariners Museum; Philadelphie, Pennsylvanie — J. Welles Henderson; Debra J. Force, conservateur, The Insurance Company of North America Corporation Museum; Philip C.F. Smith, conservateur, John M. Groff, archiviste, Philadelphia Maritime Museum; Plymouth, Massachusetts — Anne Harding. The General Society of Mayflower Descendants; Laurence R. Pizer, directeur, Jeanne M. Mills, conservateur des manuscrits et livres, Pilgrim Society; James Baker, bibliothécaire, Plimoth Plantation; Providence, Rhode Island — Richard B. Harrington, conservateur, The Anne S.K. Brown Military Collection; C. Danial Elliott, bibliographe, The John Carter Brown Library; Maureen Taylor, conservateur, Rhode Island Historical Society Library; Richmond, Virginie — Dr. Louis H. Manarin, State Archivist, Archives and Records Division, Virginia State Library, Commonwealth of Virginia; Salem, Massachusetts — Marylou Birchmore, Administrative Assistant, Essex Institute; A. Paul Winfisky, conservateur adjoint de l'histoire maritime, Mark Sexton, photographe, Kathy Flynn, photographe adjoint, Peabody Museum; Savannah, Georgie — Mills Lane, The Beehive Press; Sea Level, Caroline du Nord — Capitaine Leo Krazeweski, Sailors Snug Harbor; Staten Island, New York — Capitaine Sherwood Patrick, Capitaine Richard S. Rouche, United New York and New Jersey Sandy Hook Pilot's Benevolent Association; Williamsburg, Virginie — Parke S. Rouse Jr., directeur, Avril L. Switzer, directeur adjoint, Walter K. Heyer, directeur, Jeffrey J. Geyer, interprète, Jamestown Festival Park, The Jamestown-Yorktown Foundation; Woolwich, Maine — Mr. and Mrs. Thomas Gardiner; Worcester, Massachusetts — Mrs. G. Bumgardner, conservateur des estampes, George Joyce, Library, American Antiquarian Society.

Autres sources particulièrement importantes de ce livre, les ouvrages suivants: *The Great Migration: The Atlantic Crossing by Sailing-ship Since 1770* d'Edwin Guillet, University of Toronto Press, 1963; *Redburn: His First Voyage* d'Herman Melville, publié par Harrison Hayford, Hershel Parker et Thomas Tanselle, North western University Press and the Newberry Library, 1969; et *From the Forecastle to the Cabin* du capitaine S. Samuels, Harper & Brothers, 1887.

Index

Les chiffres en italique renvoient à une illustration du sujet mentionné

Composition photographique par Photocompo Center, Bruxelles, Belgique.
Imprimé en Espagne par Novograph, S. A., Madrid.
Depósito Legal: M-7453-XXV.